PADRES
SEPARADOS

CÓMO CRIAR JUNTOS
A SUS HIJOS

JORGE FERRARI · NELSON ZICAVO

EDITORIAL TRILLAS

México, Argentina, España,
Colombia, Puerto Rico, Venezuela ®

Catalogación en la fuente

Ferrari, Jorge
        Padres separados : cómo criar juntos a sus hijos. --
México : Trillas, 2011.
        156 p. ; 23 cm.
        Bibliografía: p. 155-156
        ISBN 978-607-17-0731-4

        1. Niño, Estudio del. 2. Niños - Dirección.
3. Familia. 4. Divorcio. I. Zicavo, Nelson. II. t.

        D- 155.44'F566p   LC- BF723.P25'F4.6

Derechos reservados
© *2011, Editorial Trillas, S. A. de C. V.*

División Administrativa
Av. Río Churubusco 385,
Col. Pedro María Anaya, C.P. 03340,
México, D. F.
Tel. 56 88 42 33, FAX 56 04 13 64

División Comercial
Calzada de la Viga 1132,

C.P. 09439, México, D. F.
Tel. 56 33 09 95, FAX 56 33 08 70

www.trillas.com.mx

Tienda en línea
www.etrillas.com.mx

Miembro de la Cámara Nacional de la Industria Editorial.
Reg. núm. 158

Primera edición, enero 2011*
ISBN 978-607-17-0731-4

Impreso en México
Printed in Mexico

Esta obra se terminó de imprimir el 7 de enero del 2011, en los talleres de Diseños & Impresión AF, S. A. de C. V. Se encuadernó en Encuadernaciones y Acabados Gráficos.

B 105 TW CTP

Prólogo

En el complejo de derechos, deberes y obligaciones inherentes a la patria potestad se encuentran los derechos de los padres, el deber de protección a los hijos y la obligación de criarlos: alimentarlos física, moral e intelectualmente, atender a su seguridad física, moral, psicológica; fomentar hábitos de alimentación e higiene personal, de estudio; el desarrollo de habilidades intelectuales; dotarlos de afecto y respeto, aceptarlos, corregirlos, orientarlos, escucharlos; ayudarlos en el desarrollo de un código de valores; auxiliarlos en el cuidado de su salud física, mental y sexual. Cúmulo de derechos, deberes y obligaciones del padre y de la madre para que sus hijos alcancen un pleno y sano desarrollo como personas, con el fin de desempeñarse en su vida futura como sujetos libres, felices, seguros y útiles a la sociedad.

Este complejo de derechos, deberes y obligaciones hace de la obligación de criar una función natural, afectiva, ética y social que interesa directamente a todos, sobre todo al Estado, ya que en la crianza de los hijos encuentra sustento el futuro de las sociedades de nuestro mundo: en ella se conjugan los intereses de los hijos, de los padres, de la familia y de la sociedad, lo que la hace un delicado tema de reflexión y estudio para profundizar en las causas que favorecen o perjudican su cometido. La crianza de los hijos trasciende al hogar y determina a la sociedad, lo que la coloca en el ámbito del interés social, pues en ella recae gran parte de la responsabilidad para que una sociedad se defina y desarrolle.

La crianza de los hijos, función propia del ejercicio de la maternidad y de la paternidad, indispensable para su desenvolvimiento y socialización, determina la importancia de los roles de padre y madre, a efecto de garantizar el desarrollo integral de su personalidad y su incorporación productiva a la sociedad. Lo que nuestros hijos reciban ahora será lo que mañana den a la sociedad y esa será la sociedad que habremos decidido para más adelante.

No es necesario decir más para percatarse de las dimensiones de la responsabilidad que recae en los padres y madres del mundo; de ahí que la crianza no sea tarea menor que pueda ser atendida por cualquiera o por uno solo. La realidad histórica ha demostrado que el éxito de la crianza descansa en la participación conjunta de ambos progenitores, del padre y de la madre. Es con el protagonismo de los dos en esta tarea que podemos hablar en mayor medida de ciudadanos libres, sanos, fuertes y seguros, para el futuro, más aptos para operar en un mundo desafiante, de permanente transformación donde les ha tocado vivir.

Lo anterior demanda una clara conciencia de la indispensable convivencia de los dos progenitores con sus hijos, para protegerlos, educarlos y amarlos, pues además de ser un derecho recíproco –de los padres de conservar a sus hijos, y de los hijos de tener y crecer con sus dos padres– es una necesidad humana de convivencia afectiva para ambas partes y de progreso para la sociedad. Sin embargo, tal derecho y necesidades no siempre coinciden así con la vida real, donde a veces se llega a la desvinculación total de los hijos respecto de alguno de sus progenitores y, con ello, a la limitación o exclusión de los derechos paternos o maternos; son abrumadores los casos en donde, queda a la madre la responsabilidad absoluta o casi absoluta de la crianza. Una idea universal es la de proteger a los menores, de anteponer a todo el interés superior de ellos, *por el bien superior del menor*; sin embargo, ante las circunstancias y posiciones de los padres que lo hacen necesario, por el *bien superior del menor* se suele desvincularlo de alguno de sus progenitores, casi siempre del padre, cuando acontece el divorcio: el padre tiene que separarse acatando una resolución judicial que ignora su sentir. Así, el bien superior del menor se traduce en dejarlo sin padre, con *mucha mamá y poco papá*.

Los estudiosos de los temas relacionados con los menores han manifestado de mil maneras que la personalidad de los niños se construye en sus primeros años de vida y continúa en la adolescencia, afirman que para lograrlo con éxito requieren la presencia e interacción con los dos sexos que les dieron el ser, es decir, le son indispensables su madre y su padre con todo su amor y su bagaje histórico y cultural para tener un desarrollo equilibrado, que les permita salud física y mental, seguridad y fortaleza, Por tanto, si en esas etapas de su vida se les desconoce el derecho a convivir con sus dos padres y se les desvincula de la relación presencial y afectiva de cualquiera de sus progenitores, este acontecimiento deja en ellos huellas permanentes en lo afectivo y emocional difíciles, si no es que imposibles de revertir. Aunado a lo anterior, no menos importante es la frustración, dolor y sufrimiento del padre separado de sus hijos, sin que nadie tome en cuenta su derecho y deseo de ejercer su paternidad; o bien, la angustia de la madre al quedar convertida en la única responsable de la crianza, reducida básicamente a criar y con muy pocas posibilidades de crecimiento y realización personal.

Desde este punto de vista es inaceptable la preferencia que, en el caso de México el legislador llegó a hacer en el Distrito Federal de la custodia materna hasta los 12 años de edad; y con ello se propician las condiciones para el ejercicio de una paternidad disminuida o nulificada, que mucho tiene de discriminación, con lo que se destina a cientos de hijos a crecer sin padre, ya que culturalmente no hay alternativa. Disposición ampliamente superada por la realidad.

De esta manera, la crianza de los hijos menores y la convivencia con sus dos padres se han convertido en la actualidad, en los temas de mayor relevancia para los estudiosos de las más diversas disciplinas y sociedades del mundo. Argentina y Chile no han sido la excepción, lo cual podremos constatar con la lectura de este excelente libro que hoy está en sus manos y que he tenido el inmerecido privilegio de prologar.

Confieso que cuando los autores me pidieron escribir el prólogo de este libro sentí temor de no ser la persona indicada; sin embargo, desde que empecé a leer el material y conforme fui avanzando en su lectura, me resultó sorprendente la identificación de mi pensamiento con el suyo, hasta sentirme verdaderamente involucrada con el tema. Eran tantas las coincidencias de percepción y párrafos en los que veía reflejados mis propios puntos de vista, que no pude más que sentirme halagada por la invitación.

Prologar esta obra ha sido para mí una tarea gratificante y honrosa, por un lado, por tratarse de dos amigos muy queridos; y, por el otro, por ser el trabajo intelectual de dos especialistas en temas de la familia de la talla de los maestros Jorge Luis Ferrari, de Argentina, y Nelson Zicavo, de Chile, reconocidos expertos en asuntos relacionados con los padres y los hijos, quienes han plasmado su valioso punto de vista tanto profesional como humano al escribir esta obra pionera en el contexto latinoamericano, como lo es el de la crianza compartida por los padres después de dar por terminada la pareja conyugal que una vez formaron y en la que procrearon hijos.

Esta obra, nace del empeño —varias veces comentado con los autores— por hacer realidad una meta acariciada por largo tiempo: la de comunicar las ideas y reflexiones surgidas del contacto directo con los problemas que han tenido que enfrentar niños, hombres y mujeres en sus roles de hijos y padres a consecuencia del mal manejo que estos últimos hicieron antes (durante y después de la separación), cuando decidieron acabar con el vínculo matrimonial. Tales problemas llegaron a ser planteados por sus protagonistas durante varios lustros en los despachos y consultorios de los autores, lo cual les permitió capitalizar las experiencias de una práctica clínica, una investigación científica y una docencia activa, que ahora finalmente —surgido de las ideas y reflexiones emanadas de las mismas— pueden compartir con todos nosotros, mediante este excelente libro que, además, robustece y da continuidad a su ya importante obra literaria en temas de la familia, de los padres y de los hijos.

El libro nos atrapa desde su título: PADRES SEPARADOS: CÓMO CRIAR JUNTOS A SUS HIJOS. ¿Es, ha sido o será posible esto? Cada uno de nosotros tiene una respuesta; de ser así, resulta obligado leer esta completísima obra para confirmarla o cuestionarla, y si no, para tener una propia.

A mi modo de ver, es este un libro valiente ya que los autores se permiten, en el marco de la construcción de los roles de género y el ejercicio del poder, analizar con rigor la estructura familiar convencional y los valores morales que la han mantenido en la rigidez de sus prácticas, creencias, mitos, prejuicios, juicios y estereotipos, dotando a la maternidad y a la paternidad (a partir de lo *masculino* y lo *femenino*) de atributos excluyentes que alcanzan su mayor expresión cuando la pareja se divorcia. Ello, no sin provocar una pluralidad de efectos más destructivos que benéficos para los protagonistas del drama de la separación, como la padrectomía, el síndrome de alienación parental y el síndrome del padre devastado, conceptos éstos aceptados y reconocidos en el ámbito de la psicología, de reciente cuño en nuestro medio, con los que, además, se abre un vasto espacio para nuevas investigaciones en los campos de estudio de la familia, cuyos objetivos implícitos exigen avanzar en la construcción de una teoría más acabada sobre los mismos, en relación con la maternidad, la paternidad, los hijos, la disolución de la pareja conyugal y la crianza conjunta por los padres separados.

Los autores construyen una excelente y exhaustiva propuesta de una *crianza compartida* (custodia o tuición compartidas), aspecto medular de la obra, por lo cual abundan con esmero y detalle en las características, causas y efectos, fortalezas y debilidades de la crianza monoparental en contraposición a los propios de una crianza compartida, dando contenido y precisión al nuevo concepto. Analizan la sublimación cultural de la madre en el contexto latino y sus consecuencias para ella como mujer y como madre para la crianza sola de los hijos, y para éstos, al anular o al dejar en desventaja el ejercicio de la paternidad; y buscan la reivindicación del padre a partir de sus posibilidades reales para criar en nuestro tiempo, defendiendo las aptitudes y los derechos de éstos para ejercer su función de padres. Todo con el propósito de que madre y padre puedan reconstruir y fortalecer la pareja parental, con el fin de cumplir juntos sus funciones en la crianza de los hijos, en igualdad, de manera plena, responsable y comprometida, dada la complementariedad de las mismas, aunque estén divorciados. Se proponen coadyuvar para que los hijos no crezcan en desventaja por el desequilibrio que implica la ausencia de un progenitor.

Con el conocimiento expuesto, su propia experiencia personal de padres y la pasión con que abordan el tema, finalizan, a manera de conclusión, con el bordado, puntada por puntada de una utopía posible y, sobre todo, deseable: que la madre y el padre separados, en estricto balance, sin ropajes de perdedores ni ganadores, sean capaces de construir la *pareja de padres* que sus hijos tanto necesitan para crecer en equilibrio y salvaguardar su cabal desarrollo, con lo que el libro, además de texto, algo tiene de guía y de manual.

La custodia o tuición compartida ha sido un tema lo mismo desconocido que ignorado, incomprendido y controvertido, que en esta obra los autores han redimensionado como *crianza compartida*; de este modo logran desarrollar una bien estructurada propuesta de una crianza conjunta para los casos en los que los conflictos en el divorcio ha conseguido suprimir o interrumpir la convivencia de los hijos con su padre, destacando algunas verdades sobre los efectos de la crianza monoparental y la crianza compartida, tanto en los hijos como en los mismos padres, consiguiendo un informativo útil para la práctica.

Se trata, pues, de una obra encaminada a convertirse en un libro obligado a lo largo y ancho de nuestro continente, y más allá, en virtud del panorama general y bien balanceado que presenta los principales aspectos de la crianza compartida, a partir de un enfoque humano, reflexivo, crítico, constructivo y moderno. Concomitantemente, propicia que los interesados en el tema de la justicia familiar encuentren elementos que les permitan explicarse el actuar del juzgador y el apoyo del psicólogo en el juicio, que desemboca en una decisión judicial sobre el futuro de hijos y de padres, al sentenciar el desarrollo de los primeros, ya con la participación de sus dos progenitores, o bien, con la de sólo uno y la exclusión y distanciamiento paulatino del otro.

Tal exclusión hace infelices a padres y a hijos y legitima el desarrollo desequilibrado de estos últimos, con las consecuencias inevitables en la salud física, mental y emocional de todos los actores afectados por la separación: frecuentes cuadros de depresión y ansiedad en la madre que, de conformidad con nuestras culturas, habrá *ganado* la tremenda responsabilidad y carga de la custodia monoparental; desórdenes de la personalidad de carácter antisocial y mayores abusos en el padre, ante la *pérdida* del derecho a ejercer su paternidad y al contacto con sus hijos; y en éstos, la presencia de síndromes irreversibles como el de alienación parental, con daños psicológicos cuya manifestación seguiremos viendo en el bajo rendimiento escolar, en la deserción de las aulas, en los índices de drogadicción o en las estadísticas de la delincuencia juvenil. En este contexto la actuación de los jueces es decisiva para dar a los hijos la mayor protección cuando se trata de asuntos tan delicados como su custodia. Esta obra ofrece información que puede ayudar a los juzgadores familiares a través de más elementos informativos para encontrar la mejor salida al resolver la disolución del vínculo matrimonial y la convivencia padres-hijos; y, con el amplio arbitrio que les asiste, a contar con elementos adicionales para abrir entre los padres divorciantes espacios de diálogo, consenso y colaboración para la construcción de una crianza compartida.

Hoy día es común escuchar que la familia y, en general, el sistema de justicia, están en crisis, y por doquier enfrentamos la reiterada demanda popular de una justicia más humana, moderna y democrática. En el tema que nos ocupa, no es desconocido el movimiento social que ha tenido lugar desde hace ya más de una década, a nivel de cada país y del continente americano, incluso a nivel mundial, protagonizado por asociaciones civiles de padres divorciados en lucha por la convivencia con sus hijos, al ver violentado y hasta suprimido su derecho a ejercer su paternidad, es decir, a cumplir su función de padres, durante y después de la separación, como consecuencia de una legislación deshumanizada y conservadora, y una justicia imposibilitada para poner fin a la preferencia de la custodia materna, debido a la enfermiza sacramentalización de la maternidad vigente por siglos en el mundo latino y que el sistema de valores machistas ha consagrado.

Son muchas las voces que se han alzado para exigir que esto cambie, sobre todo en el terreno de la justicia, y revertir sus graves consecuencias sociales, con el fin de remontar una realidad de desadaptación social y vulnerabilidad en la que se encuentran nuestros niños y adolescentes. Después de la lectura de este libro veo reforzada mi posición en cuanto a que los países de este continente no deben continuar reproduciendo esquemas arcaicos y dañinos en la construcción y reconstrucción de nuestras familias, pues bien sabemos que aunque la pareja conyugal se deshaga, la familia no termina, simplemente se recompone; y es que a pesar del divorcio y la separación, con los hijos siguen vigentes los derechos, deberes y obligaciones derivados de la unión de los sexos, la filiación y la patria potestad. Y con ello y por ello, debe surgir y persistir la pareja parental. El fracaso de la pareja conyugal no debe ser extensivo a la pareja parental; por el contrario, la terminación de la primera debe capitalizar las enseñanzas de lo vivido para reivindicar y fortalecer a la segunda, en una mejor relación entre los divorciados desde la perspectiva de padres, al compartir la responsabilidad de la crianza de los hijos y contar con el tiempo y el ánimo para construir el espacio que también como hombres y mujeres necesitan para su saneamiento, crecimiento, realización y reconstrucción de sus vidas; sólo así podremos criar hijos sanos y tener padres satisfechos en nuestras sociedades. Padres e hijos felices que puedan disfrutarse amorosamente.

Lo anterior nos coloca en la necesidad de replantearnos tal realidad y empezar a cambiar paradigmas: como profesionales, como padres y como sociedad instaurar y reproducir nuevos sistemas de valores que nos permitan reeducarnos y tomar conciencia de que todos perdemos en esta lacerante realidad, como países y como sociedad universal. Tendremos que redefinir básicamente la forma de desvincularnos de la pareja, la forma de criar a nuestros hijos e incluso la manera de construir y organizar la nueva estructura familiar. De lo contrario nuestras sociedades deberán seguir pagando el alto costo que conlleva la resistencia al cambio; desde el daño moral y psicológico, hasta las serias enfermedades físicas de los involucrados, pasando por los diversos tipos de criminalidad en que se suele incurrir. Las opciones implican el incuestionable involucramiento de los sectores educativo, legislativo, judicial, de la salud y el de la sociedad civil. Este libro está destinado a ser un auxiliar de primera mano para todos ellos. Es importante considerar la urgente participación de los países de América Latina al lado de otros países del orbe que experimentan con éxito el cambio tan necesario en el sentido de la coparentalidad.

Estoy convencida de que este trabajo de los maestros Zicavo y Ferrari constituye una invaluable aportación para avanzar en camino tan delicado y necesario como éste; en estos momentos de transición de las sociedades hacia estructuras familiares más sanas y modernas, acordes con la realidad social de nuestro tiempo —recordemos que la familia no es inmutable— y para lograrlo habrá que abrir nuestro criterio, con el fin de aceptar sus nuevas estructuras, como la familia de padres separados compartiendo la custodia de sus hijos.

América Latina lucha arduamente por encontrar sus propias estructuras familiares dentro de la modernidad, en congruencia con los valores positivos de su cultura. En este terreno demanda cambios como la inclusión de la alternativa que hoy se nos presenta, transformando la concepción y estructura de la custodia de los hijos al poner las bases para el cambio en las relaciones de los padres entre sí y de padres e hijos en una nueva imagen de la familia. El sistema familiar debe vincularse y adaptarse a las nuevas realidades, por lo que vale la pena estudiar la propuesta que se nos hace con esta obra, conocer sus posibilidades, ventajas y desventajas y ponderar su viabilidad para incorporarla a nuestras realidades. Las perspectivas trazadas por los autores en ella apuntan en ese sentido y se han propuesto aproximarnos de manera clara y con una estupenda construcción pedagógica a los aspectos conceptuales y prácticos de una opción de crianza compartida por la pareja de padres divorciados.

No sólo no encuentro limitaciones a esta obra, sino que por su realismo, claridad de expresión, sencillez de construcción y estructura lógica de su contenido, no dudo en recomendarla ampliamente a legisladores, jueces, psicólogos, terapeutas, mediadores, sociólogos, trabajadores sociales y de la salud, académicos, investigadores y estudiantes de los diversos campos del saber empeñados en conocer los aspectos relacionados con la familia, así como a los que ya son o están por ser padres, pues en ella encontrarán respuesta a una pluralidad de inquietudes, con una visión futurista, relacionadas con la custodia de los hijos de padres separados.

Se trata de un libro de vanguardia, de gran actualidad que no se limita a una mera presentación teórico-academicista del tema y de sus aspectos concomitantes, sino que mediante un enfoque objetivo de la problemática de los divorcios con violencia y de una custodia monoparental vista desde su experiencia profesional y científica, aporta un modelo práctico para remontarla e invita a legos y letrados para ampliar el debate, a partir de su punto de vista, al ser un tema novedoso en nuestro entorno, pues no va más allá de un lustro que en algunos países de la región se empezó a legislar en el sentido de la custodia compartida; otros, aún debaten el punto en los órganos legislativos y algunos más todavía lo ignoran. Es decir, nos encontramos frente a un tema al que apenas estamos asomándonos y sobre el cual el libro que ahora está en sus manos viene a dar luz.

Por haber hecho posible esta obra, que deseo pronto esté en poder de todos y sea fuente de trascendentes debates que nos permitan avanzar en el tema y transformar la realidad de padres, niños y adolescentes en nuestra América Latina, no me queda más que agradecer a los autores la oportunidad que, con la invitación para hacer este prólogo, me han dado de sumarme a este movimiento de cambio en marcha. Bienvenido sea este libro.

Jorge, Nelson, mis mejores deseos para que este nuevo *hijo* lleve un mensaje de luz a todos los niveles de nuestras estructuras sociales, propicie un cambio favorable en las formas de desvinculación conyugal y consecuentemente en la reconstrucción de las familias en Latinoamérica y, con ello, todos los niños y adolescentes de este continente tengan a sus padres y todos los padres tengan a sus hijos.

Rosalía Buenrostro Báez*

---

*Licenciada en Derecho. Fundadora del Centro de Justicia Alternativa del Tribunal Superior de Justicia del Distrito Federal. Directora General de la Academia Mexicana de Justicia Restaurativa y Oralidad, A. C.

Índice de contenido

Dedicatoria

A nuestros hijos
que nos hicieron padres...
y así pudimos ver el mundo desde una dimensión
absolutamente diferente.
Dieron más sentido a nuestras propias vidas,
trajeron millones de sonrisas a nuestros rostros,
nos levantaron miles de veces,
y nos tumbaron algunas otras...

Por ellos alzamos la voz,
por ellos callamos,
por ellos lloramos,
por ellos disfrutamos de cosas pequeñísimas y enormes,
por ellos somos lo que somos,
aunque quisiéramos ser mejores
para que ellos puedan ser lo que ellos quieran
y puedan desembarazarse de nosotros
sin dejar de querernos.

A las madres de nuestros hijos
que hicieron lo que pudieron con ellos
y con nosotros
no siempre fue tarea fácil
pero el amor a los hijos
y el respeto entre los adultos mueve montañas.

A nuestros propios Padres
que nos dieron la vida y vivaces razones para vivirlas
sin avivadas...

Introducción

Hace tan sólo 10 años hablar de crianza compartida era algo totalmente inapropiado y desconocido. Hasta para los divorciados sonaba raro que, en medio de tantas disputas, tras la separación, se pudiera criar a los hijos de manera conjunta y solidaria. Sin embargo, eso era lo que se promovía dentro del matrimonio: que el padre participara cada vez más de la vida de sus hijos. Quedaba atrás la distancia varonil de antaño y también los padres que nunca abrazaban ni jugaban con sus retoños.

Pero, por esas cosas extrañas de nuestra sociedad, al tiempo que se promovía un mayor involucramiento del padre dentro del matrimonio, se permitía y alentaba su desaparición tras el divorcio.

De igual modo, desde las políticas públicas, con el objetivo de ayudar a las madres que quedaban solas con los hijos, se terminó alentando y fomentando tal situación, que si bien es difícil para las madres, suele ser caótica para los hijos. Muchas veces es el Estado mismo quien colabora para transformar *hogares* monoparentales en "familias" monoparentales. El niño puede entender que en la casa haya un solo padre presente: lo que le es difícil procesar es que en su familia haya un solo progenitor.

Sin duda, todavía hay quienes pueden pasarse horas discutiendo sobre supuestas superioridades o sobre lo *inservible* que es el otro género, como si uno de ellos fuera el depositario de todas las virtudes y el otro de todos los defectos. Estas discusiones bizantinas no tienen ningún sentido, más que la diversión del momento, pero lo trágico es que hay personas que se las creen y sus hijos sufren las consecuencias de los prejuicios y estereotipias de sus padres. Tales prejuicios también están presentes en jueces y legisladores que, con el supuesto objetivo de defender a la mujer, continúan discriminándola, profundizando su dependencia, restringiéndolas al rol de madre y condenando a los hijos a la orfandad de padre y ser eternos clientes de la asistencia pública.

En los siguientes capítulos veremos de qué se trata la *crianza compartida* y qué sucede cuando prima el anterior sistema, de la tuición exclusiva femenina. Se analiza también al varón en este nuevo rol, de padre a cargo de sus hijos: sus posibilidades, sus limitaciones y sus resistencias. También se verán las dificultades de la crianza compartida, las cuales hay que saber abordar para no sucumbir en el intento.

Finalmente, se plantea que la solución a los millones de niños que crecen más o menos huérfanos de padre comienza por reivindicar a la *pareja de Padres,* es decir, que ésta sobreviva y trascienda a la *pareja amorosa* o a la efímera pero fecunda. Se propone celebrar un *nuevo contrato,* entre el hombre y la mujer, en el que ambos asuman el compromiso de respetarse y ser solidarios para darle lo mejor a sus hijos. Hacer prevalecer el *interés superior del niño* por encima de sus diferencias y rencores. Intentamos demostrar que, tras la separación, constituir esta *pareja de Padres* es mucho más fácil de lo que parece y, sobre todo, que sus resultados están garantizados: hijos más felices, madres que pueden seguir viviendo sus vidas y padres que no quedan devastados por la pérdida de sus hijos.

Esta obra nace a partir de considerar que uno de los problemas más acuciantes de nuestra sociedad es la creciente cantidad de hijos sin padre. En nuestros países, con tanta población inmersa en la pobreza, la carencia de padre se viene a agregar a otras carencias, agravándolas y multiplicándolas.

El objeto de este libro es aportar a los lectores ideas y reflexiones que tiendan a evitar que ese número de niños *medio huérfanos* siga creciendo. No encontrarán en esta obra consejos ni posiciones acabadas, ya que estos temas están en constante cambio y evolución. El esfuerzo se dirige a hacer participar al lector de las reflexiones de los autores y acercar algunas herramientas de análisis: tanto a Padres –que se han separado y quieren seguir junto a sus hijos– como a profesionales que tienen que trabajar en estos temas ya sea como terapeutas, abogados, pediatras, trabajadores sociales, mediadores, docentes, legisladores o jueces.

Volviendo a lo que el lector encontrará en esta obra y considerando que *en nuestro idioma se escribe igual "padres" (cuando se trata del plural masculino como de ambos progenitores), nos hemos permitido la licencia de escribir Padre(s) con inicial mayúscula cuando nos referimos a ambos, y "padre(s)" con minúsculas cuando nos referimos al varón. Esta diferenciación evitará confusiones cuando nos referimos a unos u otros; de la misma manera y para facilitar escritura y lectura, decidimos –después de varios intercambios y debates– hablar del hijo o de los niños de manera indistinta, para referirnos a niños y niñas, hijos o hijas, en el entendido de que esto no significará discriminación ni pose estereotipada alguna. Quien intente ver otro objetivo o sacar ventaja de esto, perderá el rumbo de lo aquí escrito.*

Esta obra la concebimos como la continuación de nuestros anteriores libros: *Ser padres en el tercer milenio* (Ferrari, 1999) y *Para qué sirve ser padre* (Zicavo, 2006), en los cuales podrán encontrar la historia y los fundamentos de muchos de los conceptos que aquí se plantean o mencionan.

CÓMO NACIÓ A UN LADO Y OTRO DE LA CORDILLERA DE LOS ANDES

Siendo éste un libro sobre la paternidad, consideramos adecuado contar brevemente cómo nació, ya que toda obra constituye no sólo un trabajo de creación, sino también de felicidad, sufrimiento, dolor, confusión, crecimiento, satisfacción y orgullo. Es un hijo en toda la extensión de la palabra...

Podríamos decir que sus autores *se conocieron mucho antes de conocerse*; su relación es un auténtico producto de las nuevas tecnologías de comunicación. Si no fuera por Internet y por el correo electrónico, tal vez nada hubiera pasado. Ambos, desde el principio de la *red de redes* empezaron a usarla para los fines originarios de la misma, es decir, buscar información y otras investigaciones sobre los temas que les interesaban, así como publicar sus trabajos académicos. En el ciberespacio de los temas de familia fue como dieron el uno con el otro, intercambiaron *mails* de cortesía y conocimiento, se enviaron mutuamente lo que estaban escribiendo, Ferrari le mandó su libro, que acababa de ser publicado en Argentina y un tiempo después Zicavo lo invita a participar en el Primer Congreso Internacional *La Familia en el Siglo XXI*, organizado en el marco de la Maestría en Familia que él (aún) dirige en la Universidad del Bío Bío, Chile, realizado en noviembre de 2004 en las Termas de Chillán, Chile, dando un majestuoso marco natural de montañas cordilleranas a las conversaciones con otros colegas e intercambios fructíferos de varios días y noches.

Allí vieron que, además de tener en común algunas de sus líneas de trabajo, en torno a la familia y la paternidad, compartían muchas otras cosas: sus experiencias familiares y filiales, haber vivido intensamente la historia reciente de sus respectivos países y de América Latina, haber residido en el extranjero por esas mismas razones históricas e incluso tener una actitud similar ante la vida, que podríamos resumir en un alegre, pero racional optimismo y en un gran apetito por saber, por conocer y por experimentar. Ambos son hombres de fe, de una fe basada en el poder del trabajo, del estudio, del amor, del optimismo, de la solidaridad y de la amistad. Fue naciendo así una prudente y paulatina amistad científica y humana que los fue acercando y planteando desafíos.

Luego del Congreso de Chillán continuó el intercambio de correos y sucedieron otros encuentros. En diciembre del mismo 2004, en Santiago de Chile, conversaron durante el encuentro de La Federación Iberoamericana de Padres, Conferencia 2004, en la Escuela de Derecho (Universidad Diego Portales, de Chile); ahí además, tuvieron la fortuna de conocer –en esa oportunidad– a Alejandro Heredia, un mexicano de pura cepa, de inigualable simpatía y ocupado de un tema difícil de abordar: la defensa de los derechos de los hijos de Padres de familias separadas en México, realidad que los acercó y estrechó amistades e identidades. Posteriormente, en octubre de 2005 se encontrarían nuevamente en una misma mesa de debate paternal en la ciudad de Concepción, Chile, en el Segundo Congreso Internacional *La Familia en el Siglo XXI*; finalmente en 2006, en México, durante el primer Congreso Internacional *Vivir en familia es un derecho*, (organizado por el Tribunal Superior de Justicia del D. F. y la Asociación Mexicana de Padres de Familia Separados A. C., AMPFS), comenzó a pergeñarse esta idea de escribir algo juntos.

Al país azteca habían concurrido ambos con sus respectivos libros y pudieron ver en directo la importancia que esto tiene para difundir ideas e iniciar nuevos debates. Tal vez fue cuando –en Plaza Garibaldi– ya avanzada la noche y entre mariachis, debates filosóficos y tequilas, se acercó a ellos Ignacio (Nacho) Naredo, periodista de Puebla y les dijo: "Por fin les voy a conocer, durante estos años yo siempre usaba tu libro (Ferrari), tus escritos, para generar debates en mis programas de radio."

Por su parte, Alejandro Heredia era el artífice de este encuentro donde coincidieron, además, otros estudiosos de estos temas con quienes se conformó un grupo muy unido, con lazos que hasta el día de hoy permanecen presentes. Se hace referencia a Mercedes Ladereche (Argentina), Lucía Allende (Argentina), José Manuel Aguilar (España), Margarita Montes de Oca (México), Nick Carrasco (Estados Unidos), Carlos Villacampa (España), Guisella Steffen (Chile), Juan Tapia (México) y la queridísima maestra Rosalía Buenrostro (México), entre otros.

Al dialogar con sus lectores quedaba en claro cómo estos libros eran excelentes *adelantados* o embajadores, de ayuda invalorable para lograr los objetivos de fortalecer los vínculos entre padres e hijos, adecuar la sociedad a los cambios que ella misma genera, erradicar los mitos y costumbres que dejan millones de huérfanos y medio huérfanos en las calles de nuestra América y lograr mayor equidad y una mejor convivencia en los hogares y en la sociedad.

Así fueron debatiendo acerca de todos estos temas, intercambiando experiencias, bibliografías, libros; peleando, acordando, riendo y aprendiendo el uno del otro. En algún momento se encontraron diciendo que tendrían que escribir algo juntos, con todo esto que debatían y que investigaban. Entre sonrisas cómplices y reflexión seria, comenzó a existir este libro durante el proceso. Otros encuentros en México, en Chile y en Argentina fueron cimentando este caminar juntos, con un mismo mensaje: trabajar en pos de los hijos, de la crianza compartida en cualquier lugar de América. Luego vino el intercambio de borradores, correcciones que iban y venían, versiones cada vez mejor acabadas que subían y bajaban la cordillera de los Andes y un encuentro final en medio de dicha Cordillera, en la frescura apacible de Potrerillos (Mendoza, Argentina) en el verano de 2009, donde tras tanto debate virtual éste se hizo presencial. Nelson Zicavo y Jorge Ferrari nuevamente juntos, pero esta vez no dando una conferencia o participando de un congreso sino, computadoras en mano, rodeados de libros, apuntes, borradores nuevos y viejos, algunas botellas de vino (de ambos lados de la cordillera), algún chivito a las brasas, unos mates tempranos en las mañanas, unos tequilas y un cielo atestado de estrellas permitieron dar los últimos retoques a lo que habían estado haciendo a distancia... y este es el resultado. Los autores esperan que les sea tan útil y provechoso como lo ha sido para ellos vivirlo y concretarlo bajo los cielos de Chile y Argentina, bajo la cruz del sur que orienta y señala que el *Sur también existe...*

Tiempos de discriminación masculina...

Todo cambio significa una amenaza para la estabilidad de la persona, incluso aquellos que puedan mejorar nuestro bienestar. Se les desea y se les teme casi con la misma intensidad. Nos producen disonancias respecto de nuestro bienestar general y la incertidumbre de lo que vendrá. Por tanto, la resistencia a los cambios puede incurrir con ferocidad y —por supuesto— hasta con injusticia... Bien lo saben todos aquellos que los han impulsado a través de la historia en el terreno de las ciencias, las artes, la política y la vida social en general. Resistencia conservadora que, en posesión del poder, reprime (desde lo más sutil hasta lo más grosero y manifiesto) lo que entiende amenazante. Por supuesto, intentar instalar o develar la conversación sobre una alternativa de tuición y relación con los hijos que no sea la monoparental tradicional, resulta amenazador para quienes han disfrutado del beneficio —directo o indirecto— por décadas o más. Surge así el sacrificio y la entereza de muchas personas que enarbolan nuevas propuestas y diálogos que a menudo se vuelven ásperos y dicotómicos. Germinan estos nuevos conceptos que se van extendiendo hasta lograr, en mayor o menor medida, situar en el debate nacional la necesidad de impulsar transformaciones necesarias, o al menos bregar porque exista un amplio cuestionamiento a nivel nacional e internacional, donde algunos países nos llevan la delantera honorablemente.

En la actualidad aumenta paulatinamente el interés de padres y madres de muchos y distantes lugares del mundo[1] por criar a sus hijos, por

[1] En países como México, Chile, Uruguay, Argentina, Brasil, Costa Rica, Colombia, Cuba, EUA, Francia, España, Inglaterra, sólo por citar algunos.

participar activamente en su educación, en sus juegos, en su mundo infantil. Pero lo que es más importante y significativo, se está comprendiendo de una manera distinta la necesidad de que el niño[2] cuente con los Padres antes, durante y después de la unión conyugal. Estamos hablando del *interés superior del niño* a contar con sus Padres para toda la vida y no por lapsos sujetos a uniones conyugales a veces fugaces. Los hijos tienen derecho a convivir y poseer cercanía física y emocional cotidiana con *ambos* Padres: así lo consagran las leyes pero no la realidad (Zicavo, 2006).

Por otra parte y según indican los últimos datos censales en Chile (Censo 2002) cada vez más personas (hombres y mujeres) viven en hogares monoparentales (por decisión o por obligación), haciéndose cargo de todo lo referente a la crianza de los niños y quehaceres domésticos.

Si bien es cierto que el número no es impactante, de igual manera resulta significativo que cada vez haya más hombres que participan activamente en labores que no poseen género y que lo hagan desde la participación activa que la sociedad les ha ido demandando y educando en los últimos 30 años.

Los movimientos sociales y políticos de las últimas décadas exigen personas y familias de nuevo tipo con relaciones emocionales y distribuciones domésticas más equitativas[3] que las de antaño, con estilos relacionales modernos y no centrados en el mando todopoderoso de un individuo, sino buscando consensos y equilibrio. Esto está claro hace mucho tiempo, pero aparentemente es sólo aplicable en la teoría, ya que cuando se intenta extender tales derechos y deberes a la parentalidad, entonces la equidad, parece tornarse en herejía inconcebible para el orden establecido.

Las personas sobre quienes recae la responsabilidad de la creación de la ley sostienen sobre sí el peso del dominio de los preceptos propios y de otros, de instituciones y partidos con rancias ideas biologicistas que encajan perfectamente al orden de lo que siempre se ha hecho —y por tanto— debe seguirse concibiendo de idéntica forma.

En esta dirección es observable que hoy, más que nunca (en Chile y Argentina), tenemos parlamentarias y senadoras; tenemos presidente,[4] ministras, etc. —no son mayoría, pudieran invocar— y sin embargo

---

[2] Debemos recordar al lector que en páginas anteriores (válido para toda la extensión del presente libro) señalamos que: *Para facilitar escritura y lectura decidimos hablar del hijo o los niños de manera indistinta, para referirnos a niños y niñas, hijos o hijas, en el entendido de que esto no significará discriminación, ni pose estereotipada alguna. Quien intente ver otro objetivo o sacar ventaja de esto perderá el rumbo de lo aquí escrito.*

[3] De todas formas creemos que es más fácil aceptar socialmente, en los hechos, que los hombres cuiden a los niños, a que realicen otras tareas "domésticas" donde el asignado sociocultural del rol suele generar estereotipos estrechos, miopes.

[4] Resulta interesante cómo, en aras de un vocabulario de (equidad) género se cometen atrocida-

(¿curioso, verdad?), la crianza monoparental sigue siendo la opción más dictaminada por *las* titulares de los juzgados de familia en Chile. Nos permitimos preguntarles si saben a quién se le continúa otorgando la tuición o custodia de la descendencia... Correcto, han acertado... Observamos que la lucha enarbolada por el feminismo en reclamo de poder y equidad, en oposición al poder masculino, no incluye en aquella justa demanda de paridad de providencias compartir su empoderamiento social y maternal en relación con los hijos. No desean compartir estos espacios: la meta parece ser ganar áreas antes vedadas, pero jamás compartir las ya afianzadas por la historia.

En las últimas décadas hemos escuchado a féminas defender la idea de que su cuerpo es de ellas y el embarazo también, por lo que pueden decidir sobre su destino sin que en esto medie la decisión de nadie. Tal razonamiento, en principio, lo podemos compartir; sin embargo, guarda en sí la posibilidad real de una *padrectomía a priori*, ya que el hombre sólo será un *donante* de esperma, mientras que la *dueña natural* del hijo será ella, casi única persona necesaria para *su* hijo. Ser la *natural* jefa de familia esté o no el hombre cerca también es un asunto de reparto de poder. Así para estas mujeres no hay nada imprescindible, salvo ellas (y *sus* hijos como parte de ellas). La presión de estos grupos —a veces radicales— sigue ejerciéndose a favor de la crianza monoparental, porque así *debe ser*; y, por lo demás, esto significa mucho, pero mucho poder... además de dinero que se *juega en tribunales* y eso que por lo general siempre culmina con una vencedora y un vencido.

QUE NADA CAMBIE PRODUCE SEGURIDAD... ¿PARA QUIÉNES?

A los hombres les pedimos responsabilidad paternal y familiar (lo cual está muy bien: eso debe hacerse con rigurosidad y con amor, educando en la dirección correcta). Pero eso se acepta sólo hasta cierto punto... mucho compromiso al parecer pone en riesgo los cimientos poderosos de la fuerza de *lo que siempre se ha hecho*. Mucha participación parece poner en peligro ciertos "beneficios" que se tornan inexpugnables. Deben participar, pero no tanto... ¿Qué tan hombres serían entonces? "¡Por favor, no alteremos el orden de las cosas!..." es la voz que parece escucharse...

---

des en nuestro exquisito y variado léxico; jamás hemos escuchado denominar Presiden*to* a un Presidente, pero sí lo hacemos con la (honrosa) dama, mujer que nos preside, a ella la llamamos Presiden*ta*, como si denominarla Presiden*te* fuera una afrenta a su feminidad... ¡qué cosas debemos observar en este nuevo siglo!

Estos hombres actuales, jóvenes y no tanto, hace ya mucho tiempo que realizan sus compras de comestibles, participan en reuniones de Padres en las escuelas y colegios,[5] conversan, se incluyen en el proceso escolar y opinan con los profesores acerca del desarrollo de sus hijos, etc. Ya no es raro verlos cocinar en sus casas para sus familias, ordenar, realizar labores de aseo, etc., actividades emprendidas con características propias de la masculinidad, con su sello personal y sin prejuicios.

Los hombres se están adaptando a su nuevo rol cubriendo los espacios que sus cónyuges (o *ex*) han ido dejando de lado al salir a trabajar fuera de su hogar, o bien porque la sociedad misma está demandando ajustes permanentes que generen eficacia y equidad en los quehaceres domésticos, así como en las tareas y responsabilidades derivadas de la crianza y desarrollo de los hijos, con el objetivo de lograr seres humanos con familias cada vez más felices.

Claro que aún son muchos los hombres que arrellanados en sus sillones y aprovechándose del legado machista (el cual programa y asigna silenciosamente roles socioculturales) se benefician del *deber ser* del rol femenino, que exige atender a sus familias (y esposo) cual empleadas domésticas al servicio de los otros, aunque ellas también trabajen fuera del hogar en labor remunerada. Estos hombres esperan ser "servidos" a la vez que enseñan este currículo semioculto a su descendencia por la fuerza del (mal) ejemplo. Por esta razón aquellas mujeres cargan sobre sus hombros un doble peso y obligación: el del trabajo fuera y dentro del hogar, sin que exista la posibilidad de una distribución equitativa de labores (posibilidad ni siquiera pensada).

Tal realidad resulta innegable, siendo estas sacrificadas y poco reconocidas mujeres, las portadoras de toda la injusticia que el rol de género les ha asignado a través del poder machista discriminador. Este poder machista es enarbolado no sólo por sus representantes masculinos, sino también por sus representantes femeninos (a veces tanto o más machistas que los propios misóginos). La influencia social crea realidades que la trascienden.

Deseamos hacer un paréntesis en este punto. Si bien lo anterior es una realidad brutal que debe cambiar y que ofende la sensibilidad de quienes nos dedicamos a las ciencias sociales, resulta evidente que

---

[5] Cabe señalar que, en los 10 años en que Nelson Zicavo lleva vinculado a la labor profesional en un colegio en la ciudad en que reside, ha podido observar que los padres (jóvenes y no tanto) asisten a reuniones de apoderados (para informarse de lo pertinente) con mucho entusiasmo en la medida que sus hijos son pequeños. Sin embargo, en tanto los años avanzan, en cursos superiores de enseñanza media, suelen dejar de asistir con tanta seriedad e interés. Aún así la experiencia dicta que en las reuniones de los últimos años antes de entrar a la Universidad en Chile, 40% de asistencia continúa siendo de padres o apoderados varones. Esto es un fenómeno observable en el último tiempo ya que antes, y por regla general, la asistencia abrumadoramente mayoritaria era de las madres, porque los varones se desentendían (¿o los excluían?) de sus responsabilidades.

nuestras abnegadas madres (obsérvese que dijimos *abnegadas*, es decir, las nuestras también…) han sido –lo hayan deseado o no– las trasmisoras y mediadoras, desde lo social a lo individual. Se han encargado de lo impensable: desde las uñas limpias, el uniforme impecable y las notas adecuadas, hasta los relatos sin groserías o malas palabras y las buenas costumbres en la mesa y fuera de ella. En el devenir social han sido las responsables del buen y del mal camino de los adolescentes, de las visitas al médico y al dentista, de corregir lo corregible, de que las niñas ayudaran en la casa y le sirvieran lo necesario a su padre, de echar de la cocina a los *torpes* hombres, de desalojar lo masculino de pañales y baños iniciales de bebés que sólo ellas conocen. El mundo femenino sabe –por *saber* biológico– amamantar y calmar. Por eso, *como la suavidad de una madre no hay… nadie conoce mejor que ella lo que necesita su bebé.* Las niñas deben colaborar en el aseo, tender las camas, lavar, servir…

Mientras tanto, los varones han tenido *permiso para no saber* ni entender lo que en ellas sería inconcebible que no supieran. Paralelamente, ellas van desarrollando la capacidad de conversación y de protestar, de expresar inconformidad o de buscar traducir en palabras las tareas que se realizan asociadas a la injusticia de este destino femenino.

Los varones deben correr, saltar, competir, callar si les duele, no lloriquear si pierden, alzar la voz y defenderse. Llorar no está permitido pues la masculinidad se basa en aprender a callar, y a hacer silencio se aprende. El varón no conversa: primero pega, pues el que golpea primero "abofetea dos veces…". Debe ganar y ser rudo, muy rudo si quiere triunfar… Y los varones adultos deben ser fieles exponentes de aquello: no los concebimos de otra manera durante siglos, están para golpear la mesa y decidir. En último caso son los que corrigen y ordenan, los que pagan y tienen un trabajo remunerado… Es curioso, ¿verdad? Quien distribuyó primero, evidentemente se equivocó…

He aquí, entonces, que nos hemos preguntado con insistencia en los últimos años: ¿quiénes han enseñado durante décadas a ser hombres a los hombres y mujeres a las mujeres? ¿Otros hombres?…

¿A quién sirve este verdadero *orden desordenado*?

¿Debe seguir manteniéndose lo que se ha sostenido por siglos?

¿La trasmisión social de la educación debe continuar de la misma manera?

Hay muchas cosas por transformar: no es suficiente con cambiar una ley ni varias; sin embargo, sería un avance muy interesante, aunque lo verdaderamente imprescindible es el cambio social. Debemos trabajar en esa dirección sin descansar ni un ápice. Cualquier sueño podría ser eterno.

MIS HIJOS SON MÍOS, SOY
LA MADRE (SAGRADA)

En el extremo opuesto de aquellas sacrificadas y poco reconocidas féminas podemos encontrar a otras mujeres (lamentablemente no pocas) que, utilizando las fisuras provenientes de la ideología del poder en esta sociedad machista y conservadora, violentan y abusan del derecho legal, así como del imaginario social (idénticamente machista), ellas, al separarse de sus parejas, manipulan realidades e ideas, de tal manera que asumen que *los hijos son propiedad personal maternal intransferible*; ello, sin que medie la más mínima vacilación al respecto.

Cualquier duda expuesta sobre esta realidad preconcebida se considera casi un sacrilegio. Quien la ejerza será portador de una "evidente" carencia de masculinidad. Estos prejuicios despojan a los pocos hombres que desean hacerse responsables y convivir con sus hijos, de la más mínima y posible defensa de sus derechos legales y emocional-vivenciales como padres. A la vez, timan el derecho inalienable del niño de *contar siempre y bajo cualquier circunstancia, con ambos Padres*.

Cuando las madres se apropian de los hijos cual propiedad privada e inajenable, creen en la fuerza de la biología *divina creadora* que atribuye útero y mamas para contener y crecer en el vientre, para amamantar y otorgar calor; para ellas, cualquier idea que proponga equidad en la custodia será expiada de inmediato de lo debido y aceptable; pero, en general, estas ideas también son socialmente despreciables. Pensar que un padre puede lo que no debe, evidenciará cierto nivel de herejía y, por tanto, será condenable. *Los hombres no pueden apropiarse ni acunar lo que jamás tuvieron en su vientre*, parece escucharse. Pensar de otra manera es *contranatura* y, por tanto, no será tenido en cuenta. Las madres son las *dueñas naturales* de *sus* hijos y nadie mejor que ellas para saber e interpretar lo que ellos quieren o deben querer. ¡Que nadie intente dudarlo! ¿O acaso aquel que duda es porque no quiere a su madre...?

La imagen de madre casi santificada es así, desprovista sutilmente de atributos habitualmente humanos: despojada de erotismo, sexualidad e individualidad. Quien arriesgue descubrir el velo, no sólo será un hereje sino que perturbará el mandato predeterminado y lo que siempre *fue* correrá el riesgo de *dejar de ser...* Es posible, entonces, que contra esto se levanten muchas voces y sanciones. Sus características biológicas las hacen ideales para la crianza, razón por la cual son las dueñas naturales de los hijos. Los hombres son un aditamento *casi* importante. ¿Imprescindible?: sólo la madre. De preferencia el padre debería estar presente, pero si faltara, este rol puede asumirlo la madre o cualquier otro familiar (en fin, no es para tanto... así se escucha el rumor de las rancias posturas de género hostil). ¿A quién beneficia esto?, ¿en realidad, existen personas que se beneficien de tamaño disparate?

LA DISCRIMINACIÓN AL PADRE

De la manera descrita se pavimenta el camino para la instrumentalización de los hijos como valor de desagravio y reparación, por el daño causado por el hombre a la mujer, cuando una separación está en marcha. La compensación suele ser directa y cruel, al impedir o entorpecer el contacto padre-hijo. Así, suele transfigurarse el papel del hombre, en cautivo de sus sentimientos por los hijos y de su estatus jurídico inferior, a pesar de que su papel de género sea el de poseedor aparentemente total del poder.[6]

Como resultado de una investigación de cuatro años, Yablonsky (1993) que, de todas las personas que intervienen para *filtrar* la imagen del padre, la madre es la persona más significativa y que, con frecuencia, los hijos que viven con su madre después de la separación o divorcio suelen tener una imagen negativa de su padre, según lo que le dice la madre, pues lo ven como alguien horrendo a quien hay que evitar.

Hemos sido testigos en Chile y Argentina de que habitualmente las madres (por conflictos diversos ante desacuerdos con los padres) tienden a impedir o entorpecer los encuentros de ambos sin que esta conducta obstructiva sea merecedora de sanción alguna. Al parecer esto no se entiende como lo que es, o sea, el ejercicio de violencia psicológica en contra de dos personas: el hijo y el padre.

Aquellos hombres que, a pesar de todo, intentan *contra viento y marea* estar cerca de sus hijos y quieren y pueden, entonces experimentan la ternura, la dedicación paternal, la paciencia, el amor y el sacrificio, sin perder sus atributos masculinos inherentes al género; más aún, los redimensionan y proveen de cualidades no contenidas hasta el momento en el rol tradicional. Adiciona y complementa tales aspectos a su personalidad, enriqueciéndola y transformándose en un ser humano más completo.

La pose del macho duro, sojuzgador, primitivo, frío y distante (Olavarría, 2001) no es necesaria para estos varones, quienes asumen un papel de género distinto a través de comportamientos verdaderamente masculinos, que a la vez les permiten asumir compromisos afectivos profundos mediante un proceso de crecimiento personal real.

Por fortuna existen también mujeres que se desmoldan del rol asignado por la cultura preponderante. Y, con su reciente incorporación al mundo laboral, al mundo de lo público, se están permitiendo la posibilidad de alcanzar su realización personal mediante la vivencia de lo feme-

[6]Sin duda se trata de un poder masculino históricamente carente de equidad y, por tanto, básicamente injusto; sin embargo, esto no constituye amparo para que actos de revanchas cobren responsabilidades individuales inexistentes. Este posible *desquite* hembrista puede llegar a ser tan nocivo como el machismo por el simple hecho de ser predispuesto, planificado y cuyas consecuencias más graves las sufren los hijos.

nino, sin que esto menoscabe su autoestima. Ser mujer y realizarse como tal no atraviesa necesariamente la frontera y el territorio de la maternidad; ésta es sólo una opción, deseable para muchas, pero no pecaminosamente irrenunciable, como antes rezaba el mandato sociocultural. Para otras, en distintas circunstancias, su valía se veía directamente asociada o ligada a la maternidad, como condición inseparable. Para las mujeres actuales, que conforman la vanguardia de otro orden, su misión ha dejado de ser atender a su marido, vivir a través de los ojos de éste, *darle* hijos y criarlos. Una cosa es ser atentos, por amor; y otra estar obligados a atender por el *deber ser*, porque la ley del ser humano así lo consigna con la fuerza de lo que siempre se ha realizado de esta manera.

Esta nueva mujer tiene la posibilidad de crecer personalmente a un ritmo y nivel acorde a la época actual, evoluciona en un ser humano más justo y armónico.

La posibilidad de la maternidad (o de la paternidad), es una decisión personal que hay que elegir responsablemente, pero ésta no condiciona la posesión de valores individuales dignos, decentes, decorosos. Elegir la no paternidad o la no maternidad, como opción de vida, no resulta inmoral ni condición que reste humanidad. La idea de que sólo se es mujer y mejor persona cuando se realiza la maternidad biológica ha llevado durante muchas décadas a aquellas mujeres que se ven imposibilitadas biológicamente de procrear, a sentirse disminuidas en su condición femenina y a ser miradas por la sociedad como *poco útiles* por su infertilidad. Tales aberraciones las han cargado de culpas que han doblado sus hombros y voluntades, soportando el peso del menoscabo y la amargura. ¡Esto debe cambiar!

La maternidad es una opción, así como lo es la paternidad. Nadie es dueño de los hijos, y quienes los tenemos ya adultos sabemos que sólo están con nosotros unos años de su vida para después construir su presente con lo mejor que les hemos heredado. Pero, sin duda **no** nos pertenecen: se pertenecen a sí mismos desde y por siempre. Razón de más para compartirse y compartirlos, pues de lo contrario los dejamos sin una decisiva parte de su vida y su herencia a la que no deben —ni quieren— renunciar.

Aunque la madre y el padre pueden ser igualmente receptivos y afectuosos, hemos comprobado que interactúan con los hijos de manera distinta. Mientras las madres enfatizan el cuidado y la cautela, los padres acentúan el juego y la protección. De esta forma, los hombres estimulan la competencia, el desafío, la iniciativa y la independencia en sus hijos. Pero lo cierto es que ninguna forma es mejor que la otra, son complementarias y esto es fantástico.

Inevitablemente, cuando hoy algunas de las mujeres deciden compartir la crianza de los hijos de manera equitativa con sus parejas y los hombres deciden ser partícipes activos del proceso con amor y cercanía, lo hacen no sólo desde el supuesto de que el varón es necesario antes y durante la feliz unión conyugal; asumen con responsabilidad, de manera permanente que el padre es tan importante como la madre (Ferrari, 1999); cada uno desde sus dimensiones vivenciales distintas pero igualmente válidas, con los derechos y deberes que el rol de género prescribe y las construcciones individuales obligan.

Debemos tener siempre presente que ambos Padres son indispensables aun cuando sobrevenga la indeseable separación y el dolor restrinja el equilibrio que brindaba la razón. Es allí cuando se hace más necesario que nunca, entre las pérdidas resultantes e inevitables del proceso de desamor de la pareja, que los hijos no vivan la cruel realidad de la pérdida paternal o maternal que resulta incomprensible, lacerante y de alcances yatrogénicos inestimables, independientemente de las edades de los niños. Criar un niño no es una tarea fácil para cualquier madre o padre, pero es verdaderamente agobiante enfrentarla en soledad, con la carencia del otro, que es por igual indispensable (Ferrari, 1999).

En nuestros países latinoamericanos estamos asistiendo a dignos ejemplos cotidianos de hombres que crían a sus hijos, los cargan sobre sus hombros, cuidan a sus bebés o peinan a sus hijas pequeñas antes de ir al colegio. Hombres que hablan con ternura, confianza y complicidad, ya sea de pololeos (noviazgos) y de menstruación, y que acarician y besan a sus hijos varones aunque ya sean jóvenes y/o adultos.

Estos hombres han ido generando en ellos mismos y en sus iguales una maravillosa aprobación psicológica interna de estas acciones, haciendo el camino para que otros participen de la crianza con amor y masculinidad y puedan ser cercanos y empáticos con sus propios hijos.

Este ejemplo resulta un permiso necesario, progresivo y gradual para esta generación. Es una legitimación necesaria para el desarrollo de un nuevo estilo de ejercicio de la paternidad donde prime la ternura, el afecto, el equilibrio armónico tanto en la intimidad como en lo público.

Hoy existe un nuevo estereotipo de lo que es ser padre, hoy ser padre significa defender, trabajar, batallar y hasta sufrir por sus hijos; los padres de hoy se ocupan de sus hijos, andan con sus bebés en brazos o se levantan por la noche para calmar su llanto o preparar el biberón; son los que no renuncian y a los que debemos el reconocimiento y aprecio social que mitigue el costo pagado por tantos otros padres que, en otras épocas, aunque querían estar presentes, fueron expulsados de la paternidad sin que nadie se percatara de todo el dolor que eso causaba. De ahí la imperiosa necesidad de legislar y adoptar medidas eficaces para que la crianza compartida sea una realidad alcanzable por aquellos que así lo deseen.

Padrectomía y alienación parental

En anteriores ocasiones y en especial en el libro *Para qué sirve ser Padre* (Zicavo, 2006), hemos intentado poner de manifiesto las consecuencias que para el Padre conlleva el proceso de divorcio, en especial del mal abordado o manejado. No obstante creemos que tales consecuencias han sido insuficientemente tratadas, o bien, han carecido de equidad en el abordaje de los estudios realizados sobre este tema.

En nuestra experiencia (clínica, investigativa y social) ha sido posible detectar los efectos devastadores que tiene el divorcio sobre el Padre, pues como vivencia emocional anticipada suele estar inevitablemente asociado a la pérdida de los hijos, a la ruptura del vínculo relacional, teniendo lugar el inicio de la interrupción de su paternidad (antes construida desde el compromiso) y el menoscabo de espacios generadores de experiencias gratificantes con los hijos.

Aunque visto desde distintos ángulos y sin un cuerpo teórico acabado, existe cierto consenso (entre los profesionales que estudiamos el desarrollo de la familia) en denominar a este fenómeno: como *padrectomía*; por ello, constituye nuestro propósito acercarnos aún más a su determinación teórica como vía esencial para poder llegar a comprender las vivencias del Padre en el proceso posdivorcio. Sin lugar a dudas *este abordaje desde lo masculino, desde lo paternal*, de por sí se percibe como algo provocador, alborotador y desafiante para muchas personas que se niegan a comprender y a tolerar que existan hombres que deseen y asuman su rol desde la cercanía, rompiendo así el mito o *mandato social* de ser *abandonadores, desobligados y distantes*.

Por otra parte, y con un abordaje más homogéneo, está el concepto que R. Gardner (1999) ha denominado *Alienación Parental*[1] y que se encuentra contenido en el proceso de la Padrectomía, cuando ésta transcurre bajo un manejo terriblemente inadecuado del desarrollo de las diversas etapas de divorcio o separación conyugal. Por lo que abordamos ambas realidades desde la dimensión del daño que suele acompañar a las personas involucradas, en primer lugar los niños, pero sin perder de vista las evidentes desventajas para el hombre, cuestión ésta poco afrontada y que nos apasiona conocer y tratar.

Tradicionalmente el proceso posterior al divorcio o a la separación trae consigo, a nivel real y vivencial, un rompimiento *impuesto* de la figura paterna con los hijos. Es decir, que de forma inevitable ocurre un nivel de pérdida o alejamiento del padre, con el correspondiente costo afectivo que esta realidad trae aparejada. La cuantía de la pérdida, las consecuencias y la distancia que se establecerá entonces entre el padre y los hijos, por lo general va a depender, entre otros elementos, de la calidad del vínculo que existía durante la relación matrimonial que se ha desarticulado.

Por diversas razones que ya hemos mencionado antes, es al padre a quien la sociedad –y sus mandatos– le impone lejanías, lo cual en muchas ocasiones va acompañado de añoranza y gran sentimiento de dolor, pues lo distancian de lo que más ama: los hijos.

Cuando prevalece la falta de consenso o desarmonía en el manejo del proceso posdivorcio, el alejamiento del padre se convierte en *extirpación de los espacios* que antes le pertenecían de manera indiscutible, lo cual suele ser más frecuente de lo que creemos. Como sociedad somos testigos de nacimiento de algunas organizaciones de padres que legítimamente se organizan e intentan luchar para enfrentar un sistema judicial adverso a la convivencia con sus hijos. Ellos perciben que el litigio judicial posdivorcio, lejos de impartir de manera alarmante justicia, justifica, legaliza y valida la pérdida de la convivencia y la tuición de sus hijos.

CONSECUENCIA PARENTAL DEL DIVORCIO: LA PADRECTOMÍA

El obligado cambio en el rol paterno deviene en disfunción y el dolor se torna en angustia y desesperación. Se produce entonces la *extirpación de la figura paterna, la extirpación del rol*, bajo la creencia (dada por el

---

[1] Retomado por el colega José Manuel Aguilar (España), quien reimpulsa el concepto y lo difunde con particular acierto en España y América. Hace hincapié en la denominación de Síndrome (Síndrome de Alienación Parental, SAP), lo cual pudiera ser discutible.

acontecer social de lo recurrente) de que los hijos son *propiedad privada* de la madre, propiedad indiscutible dada por la "biología" y naturalizada socialmente en el devenir histórico.

Lo verdaderamente interesante de esta extirpación es que, durante la existencia o permanencia de los lazos conyugales, cuando en la pareja reina la armonía y el acuerdo, la presencia masculina y paterna se concibe como necesaria e imprescindible. Incluso a menudo suele ser reclamada por la mujer y por la ciencia como una necesidad sentida en la formación y desarrollo adecuado de los hijos (lo cual coincide plenamente con nuestros postulados). La presencia masculina en el desarrollo de los hijos resulta necesaria e imprescindible, con la misma importancia (ni más ni menos), que tiene la presencia femenina: *son indispensables ambos Padres en la formación de los hijos, en todo momento* y no sólo cuando éstos son pequeños; los Padres no dejan de serlo a determinada edad de los niños, porque siguen cumpliendo roles afectivos y cercanos, mientras viven.

No obstante; basta que el desacuerdo y la hostilidad se hagan presentes en la posconyugalidad para que los hijos que antes eran de los dos, se transformen ahora en pertenencia maternal única indiscutible. Se hace prisionero de género a todo aquel que quiera paternar, por más decorosos y limpios que sean sus sentimientos y acciones. Aún más, en este absurdo *litigio a priori* se presume que no son tan cristalinos... por ser hombres. La extirpación del rol, de la cercanía, de los afectos, está en marcha. La cirugía detallista (que intentará no dejar rastro de la función e imagen paternal masculina) puede estar asegurada socialmente y será refrendada por algunas mujeres que han hecho de ésta su trinchera (con diversas y poderosas ganancias).

El proceso de la padrectomía es observable (impuesto o autoimpuesto por el *deber ser* social) cuando la pérdida de la figura paterna para los hijos se acerca a niveles extremos; exigencia que pudiera venir desde fuera, desde lo social o desde el propio padre por la fuerza de los imaginarios y constructos sociales reflejados e introyectados en cada uno de los individuos que se han convertido en padres.

De esta manera, al integrar nuestra experiencia clínica profesional y la definición dada por R. Fay, llamamos *padrectomía* al alejamiento forzado del padre, cese y/o extirpación del rol paterno y la pérdida parcial o total de los derechos paternales y del vínculo fisicoafectivo con los hijos, lo cual conduce a una vivencia de menoscabo con fuerte impacto negativo para la estabilidad emocional del hombre, sea éste progenitor o no (Zicavo, N., 2006).

Este fenómeno se expresa en varios niveles: *sociocultural, legal, familiar,* y a nivel *femenino y maternal,* espacios donde se encuentra la explicación de que la Padrectomía es un hecho real, cotidiano, de profunda injusticia social y moral.

La cultura patriarcal enarbola un modelo de paternidad, de autoridad y disciplina donde el padre debe ser el proveedor familiar (casi exclusivo o, al menos, el más importante), distante emocionalmente y portador de un estatus de poder público casi omnipotente. Ser padre implica asumir un rol construido por la cultura, del cual resulta muy complejo desvincularse por los costos que esto genera. Para cumplir adecuadamente el rol, al niño se le *prepara* desde pequeño (Olavarría, 2001). Tal preparación rinde mejores frutos en algunos exponentes del género masculino, más que en otros, de manera que, quien intenta salirse de tal depositación sociocultural, suele ser señalado –por hombres y mujeres– como ejemplo de escasa *hombría*, algo así como un ente antimasculino, que en nada se diferencia de las mujeres, motivo entonces del rechazo de ambos géneros. Resulta curioso cómo estos hombres que quieren paternar, para poder hacerlo no sólo deben diferenciarse de los *otros* hombres, sino además de las mujeres, ya que ellos vivencian el rol desde una masculinidad no apreciada ni evaluada como válida por los otros.

Es así que esta asignación del rol en cuanto al ejercicio de la paternidad en la sociedad actual, conduce sigilosamente a la extirpación: cercena la paternidad cercana, empática y nutriente, priva al hombre del disfrute de sus hijos, lo ubica en un *estatus periférico* y lo excluye de la enriquecedora función de educación y crianza de sus hijos (Arés, 1996). Esta privación paterna por extirpación social *a priori*, esta *padrectomía*, es tan nociva para los hijos como la privación materna, aunque sus efectos sean diferentes. Es nociva en tres direcciones:

a) En tanto que el hijo sufrirá la privación paterna y el dolor de la distancia de un ser significativo que necesita cerca para la construcción sana de su personalidad, así como del imaginario psicológico individual de ser hombre y ser padre.
b) En tanto que el padre ve cercenados sus derechos funcionales, lo cual le causa angustia, profundo dolor, culpas y resentimientos.
c) En tanto que la madre se verá sensiblemente afectada con una sobrecarga de tareas y funciones al verse obligada (o por elección personal) a intentar suplir las ausencias paternales desde su condición materna, con más esfuerzo y sacrificio ilimitado.

Si la sensibilidad social se abriera a una concepción más contemporánea del divorcio o la separación, tal vez comenzaríamos a dar a luz un proceso mediado que facilite la comunicación padre-hijo-madre (en sus múltiples interrelaciones) y que genere espacios de desarrollo maternal, sin que ésta se vea obligada a quedarse como dueña de casa, so pena de ser señalada socialmente como mala madre.

El proceso de la *padrectomía* se ve agravado si el causante de la ruptura ha sido el hombre. De todas maneras, e independientemente de esto, la norma recurrente asumida como *natural* es que *la madre consiga la tuición* de la descendencia y al padre se le conceda la *visita,* en la amplia mayoría de los casos que llegan a los tribunales de países como México, Chile, Uruguay, Argentina, Brasil y Cuba (Ferrari, 1999; Arés, 1995).

Asimismo, y como *tendencia,* las madres muestran conformidad con la decisión legal de limitar los encuentros con los padres, e incluso agregan obstáculos al contacto físico, aun cuando el padre tenga condiciones y deseos de establecer una relación más sistemática y cercana con sus hijos. Sería interesante estudiar este fenómeno maternal más a fondo pues evidencia no sólo una asignación sociocultural asumida, sino además cierto *aprovechamiento* o *abuso de poder.*

La Padrectomía se origina en última instancia por la privación del rol paterno a través de la desestructuración y anulación de la función consolidada por la ausencia de compromiso y responsabilidad, así como por medio de la abolición o eliminación del lugar ocupado antes por el padre.

DISCRIMINACIÓN FEMENINA POSITIVA

Habitualmente la mujer –al sentirse propietaria natural de la educación y el cuidado de sus hijos– se apropia físicamente de los menores y de su destino, marcando las pautas relacionales con su ex pareja; ello con el aval que le concede la asignación de los roles otorgada socioculturalmente en donde la madre expresa su superioridad con respecto al padre en el proceso de posdivorcio, sintiéndose segura y dueña de la situación. Así, no es ella, en ninguno de los casos, portadora de algún sentimiento de pérdida respecto de los hijos.

La guarda y/o custodia del niño pasa a ser atribuida a la madre como instrumento de reparación de los (supuestos o reales) daños causados por su ex pareja, estableciéndose la discriminación femenina positiva. En cuanto al cónyuge culpado –responsable o no de la ruptura del matrimonio– queda automáticamente inhabilitado para el ejercicio de la guarda o custodia y nadie vacila ante esta *flagrante violación a los derechos paternales que también son derechos humanos.*

De esta manera los padres verán drásticamente reducidas sus posibilidades de contribuir a la educación, hábitos y costumbres de sus hijos; con ello gana terreno la desmotivación y el desestímulo por la falta del contacto cercano, lo que a su vez trae consigo sentimientos de minusvalía y desapego afectivo al verse impedido de la participación, o generando en él una presencia intermitente ante sus hijos que a menudo lo desorienta y confunde (tanto como a su propio hijo) sobre el quehacer educativo (Gilberti y cols., 1985).

Para muchos padres, separarse de un hijo es un proceso muy doloroso; tanto, que incluso en algunos casos prefieren aislarse de ellos para no reiterar el sufrimiento. *En varios casos el quiebre de la pareja y la separación, distanció al padre de éstos (los hijos). Había una lejanía que dificultaba el contacto cotidiano. En general para varios varones separados, el alejamiento de los hijos fue sentido dolorosamente. Aunque reconocían que la vida del hijo era posible sin él, sentían que éste se les escapaba; comenzaban de alguna manera, a sentir extraño al hijo y percibir que el sentimiento era recíproco. Esta situación llevó a algunos a evitar el contacto* (Olavarría, 2001).

Para el hijo, la separación también es un cambio muy importante, porque cuando el padre se va del hogar el hijo mantiene el sentimiento de amor hacia él, e incluso puede existir una buena relación entre ellos si la nueva pareja de la madre no se lo impide y le permite sin obstáculos verse constantemente. *Por regla general los hijos luego del divorcio continúan amando de igual manera a sus padres a pesar de la separación y del paso de los años, pero, en los casos de divorcio destructivo, el Padre que ejercía la tenencia manipulaba en forma consciente o inconsciente al niño para causar el rechazo y obstruir la relación* (Olavarría y Márquez, 2004).

Una relación normal y deseable entre padres e hijos no debe ser concebida en forma tradicional donde (habitualmente) es la madre quien convive todos los días con el hijo trasmitiéndole sus valores, ideas, patrones, hábitos de vida modeladores de su carácter y de su personalidad, y el padre es quien se circunscribe a desempeñar el limitante rol de "padre de fin de semana".

La existencia de un padre intermitente conduce, como tendencia, a la inadecuación en el proceso de aprendizaje social del niño y a serias carencias constructivas en el proceso de la formación de su personalidad.

No obstante, existe la posibilidad de construir espacios de acción plural sin segregaciones *naturalizadas* por el devenir de la costumbre y tradición. Esto es, exclusiones, sin padrectomía. Es por esto que también, en el proceso posdivorcio, la mujer tiene la posibilidad de construir un espacio donde se permita la entrada del padre a un terreno que lo social, lo legal y lo familiar le asignó como propietaria natural y/o biológica y que siempre detentó sin mayores interrogantes. Es fácil prever que tal segregación (de la cual muchas personas de manera oportunista suelen aprovecharse), no es beneficiosa para la cotidianidad femenina.

SUGESTIÓN OCULTA Y ALIENACIÓN PARENTAL YATROGÉNICA

En este proceso descrito, paulatinamente las relaciones del padre con sus hijos van quedando a merced de la buena o mala voluntad de la madre (y de su familia, quien la "aconseja" y presiona en ciertas direcciones, las cuales pueden llegar a ser muy nocivas), para continuar siendo padres adaptados a la nueva situación o convertirse –en el mejor de los casos– en padres de fines de semana alternos, pues en incontables oportunidades, e instrumentalizando a los niños, suele usarse el *permiso* de contacto como una herramienta de compensación, de venganza y de chantaje. Tal coacción va desde lo emocional hasta lo económico, convirtiendo a los niños (y su derecho a contar con ambos Padres por igual) en rehenes permanentes de la situación yatrogénica[2] antojadiza de uno de sus progenitores.

Los adultos custodios cuentan a favor de su nociva práctica con mucho tiempo, en el cual –si lo desean– pueden depositar en los niños sugestiones dañinas (alienaciones) una y otra vez, a su antojo y arbitrio, contra el ausente. De esta manera suelen arraigarse conductas yatrogenizantes que le agregan más daño al daño ejercido por tantas pérdidas para los infantes, independientemente de sus edades. Los hijos deben cargar sobre sus hombros el peso del juicio no juicioso de los adultos desajustados, desequilibrados, así como de una jurisprudencia que enjuicia –a pesar de sus buenas intenciones– *a priori*. Y todo ello sin que los cortos años de la infancia conmocionada del hijo le alcancen para explicarse por qué su padre ausente es visto como *malo*, si antes no lo era. Se pregunta: *¿Por qué no lo puedo ver? ¿Él ya no me quiere?*

Y las respuestas a estas preguntas no las puede encontrar sin que surja un fuerte conflicto de lealtades imposible de resolver y que, una vez manipuladas las emociones y los sentimientos por los adultos en juego, se enarbolarán como banderas triunfales con mayor o menor conciencia del daño que generan, del sufrimiento y de la perversión implícita.

Comienza a surgir así, acompasada o abruptamente, lo que denomina Gardner (1999), *alienación parental*, descrita como *situación en la que un progenitor intenta deliberadamente alienar (alejar, excluir y perturbar, apartar) a su hijo del otro progenitor, envenenando su mente con éxito.* El objetivo de la alienación es que odie al otro Padre.

La *alienación parental* surge en el contexto de las disputas por la custodia de un hijo, manifestándose en maniobras, ardides, campañas de difamación y denigración contra el Padre ausente. Es el resultado del *adoctrinamiento e inculcación de ideas, supuestos apriorísticos y emo-*

[2] Yatrogénica, en tanto se agrega más daño al daño ya existente por el hecho de la separación contenciosa, donde el alienador intenta generar cada vez más daño, sin importar el resultado del mismo.

ciones negativas contra el progenitor ausente (Aguilar, 2006). Observamos lamentablemente que, en no pocas oportunidades, el propio niño contribuye (por la fuerza de lealtades y relaciones de poder evidentes, de dependencia con el sostenedor y guardador) en concebir la imagen del ausente con altos grados de perversión (sea el omitido masculino o femenino), lo cual generará en el niño gran confusión y desestructuración personal, así como la destrucción del vínculo con el otro progenitor, pérdida que desafortunadamente, durará con toda probabilidad un largo periodo de la vida del mismo.

Entre los muchos casos atendidos, debemos aceptar en unos pocos, casi mínimos, el *alienador no se percata* del verdadero alcance de sus acciones. Esto ocurre debido a que la sociedad conduce y obliga en esta dirección, legitimando el horror. No obstante, la mayoría de las personas alienadoras lo hacen con total conciencia, con el objetivo de separar, apartar, denigrar y hundir al que consideran fuente de sus desdichas conyugales. La persona sugestionadora no duda en *sembrar*, con inusitada crueldad, pequeñas parcelas de dudas o certeras maniobras de difamación, calumnia y exageración. Su objetivo es extirpar el *mal* de raíz. Aun percatándose del sufrimiento de los hijos, deja correr la fantasía de que sólo ella será suficiente para construir lo que antes era tarea de dos: la educación y el desarrollo de la personalidad del niño.

Debemos tener en cuenta, incluso, que no es imprescindible poseer la evidente tendencia a negar o impedir la existencia de una relación libre y abierta del niño con la persona ausente: basta que se obstaculice, se pongan trabas, impedimentos más o menos sutiles en una confrontación de *nervios*, donde quien no tiene la guarda y custodia suele perder la compostura rápidamente y comienza a *autoextirparse* (unas veces con elevadas vivencias de dolor, otras, con resignación y —quizá en otras— con cierta tranquilidad debido a la carencia de *batallas* por su ausencia).

Si bien la padrectomía y la alienación parental, están condicionadas por diferentes esferas, éstas se concretan en dos expresiones susceptibles de ser evaluadas y materializadas: la legal y la maternal.

El verdadero desafío de nuestras generaciones y de nuestros profesionales expertos en familia, es no sólo develar lo oculto e intervenir, sino además generar un amplio movimiento social, político y jurídico que permita detener y revertir la sugestión, la alienación y la padrectomía. La sola existencia de estos procesos constituye un flagelo yatrogenizante de las estructuras de la familia actual. Conforman un verdadero perjuicio para nuestras sociedades e instituciones, que muchas veces *miran* pero no quieren *ver*: simple y trágicamente *dejan hacer*. Nos entristece observar que, en no pocas oportunidades, encontramos profesionales mal preparados por falta de actualización en su formación, por esquemas ideológicos anquilosados o porque, por dinero, se prostituyen ayudando en el empeño malsano de que en esa guerra haya vencedores, sin percatarse que todos perdemos.

Comunicación social y educación profesional especializada son necesarias ahora. O, parafraseando a nuestro querido amigo y profesor Manuel Calviño (2005): *Otra comunicación es posible. Hablo de otra comunicación, una que persigue ayudar, orientar, educar, prevenir, concienciar en* [...] *valores esenciales, comportamientos sanos y cívicos* [...], en este caso referente a la familia y su realidad posdivorcio.

Debemos estructurar el cambio de estilos relacionales diferentes en nuestra sociedad y en nuestros nuevos tipos de familia, que necesitan *nuevos tipos de divorcio y nuevos paradigmas de crianza* de los hijos de nuestro tiempo, de estos –afortunadamente– anónimos tiempos que nos despeinan e iluminan.

El espacio y tiempo es aquí y ahora; estamos seguros de que *vale la pena...*

Crianza compartida[1]

La ruptura de la conyugalidad supone cambio, crisis y confusión que debe enfrentar y superar la ex pareja, mediante el diálogo y la búsqueda de consensos. Es necesario validar y salvaguardar la estructura de roles que toda familia sin perder los papeles que cada quien desempeñaba, sólo se disipe la funcionalidad conyugal. Todas las otras funciones de la familia se mantienen y deben reforzarse necesariamente.

Hetherington (1995) expone lo siguiente:

> ...desafortunadamente, para muchas parejas que se separan el conflicto que caracteriza al periodo anterior al divorcio suele no terminar con el divorcio, sino que aumenta tras él. Por lo tanto, tras el divorcio la efectividad de la tuición compartida frente a la situación de conflicto permanente es dudosa. Si bien los hijos pueden beneficiarse de la participación de ambos padres en sus vidas, es probable que sólo algunas familias puedan hacer de la custodia compartida legal una experiencia no estresante y positiva.

Es interesante señalar que este es un riesgo inevitable; no obstante, es posible estructurar otro tipo de acuerdo donde el litigio no sea la tónica cotidiana de las relaciones: es posible adoptar una actitud general propositiva y tener presente que el objetivo de todo Padre es dar lo mejor a

[1] Junto a nuestro equipo de alumnos ayudantes (de la Universidad del Bío Bío) hemos realizado algunos estudios descriptivos dirigidos a establecer las diferencias existentes entre la crianza compartida y la custodia monoparental (los niños quedan a la guarda y custodia de un solo padre –a menudo de la madre–) luego de ocurrida la separación conyugal. A ellos hemos dirigido los esfuerzos investigativos, en determinar las fortalezas y debilidades del modelo de crianza compartida, todo lo cual volcaremos más adelante.

sus hijos (en cuanto a que éstos sean felices). Entonces es factible sobreponerse al conflicto y afrontar la crianza compartida como una opción posible y necesaria. Sin duda, no todos lo lograrán, pero lo cierto es que todos *deberían* intentar y realizar su mejor esfuerzo, pues el beneficio que obtendrán los hijos vale la pena (y los Padres también).

El alejamiento de la pareja no debe condicionar las distancias entre padres e hijos. Si esta separación parental se obliga desde la asignación social o desde el rol asumido, entonces se ha de saber que se estará perjudicando a la descendencia, se les estará condenando a crecer sin las necesarias referencias de identidad de uno de sus Padres.

La crianza monoparental es entonces, aquella que legitima y aplica la doctrina arcaica de que uno[2] de los Padres debe *quedarse* con los hijos de ambos y administrar (y guiar) su vida y relaciones sociales, abriendo el camino a extirpaciones *padrectomizantes*, a síndromes alienadores que pueden evitarse con la crianza corresponsable.

Cuando en consulta asesoramos a parejas en este difícil trayecto, debemos recordarles a ambos padres que en el momento en que nacieron sus hijos, ellos también emergieron como Padres. Y a futuro, cuando sus hijos tengan problemas educacionales, cuando tengan alegrías en la vida, cuando los sorprenda su desarrollo hormonal, cuando se casen, cuando —a su vez— tengan hijos, entonces los convertirán en abuelos por igual, ni más ni menos. Ellos los necesitan como *Padres* en equivalencia paralela y para toda su vida, no por algunos años y en dependencia de un vínculo que les pudiera ser ajeno y que no pidieron. La ex pareja deberá seguir siendo "socia" en la parentalidad, en la crianza, tuición y desarrollo de las potencialidades de los hijos. Y esta tarea es mucho mejor (infinitamente mejor) cuando se construye a dúo.

Cuando la persona deviene en padre-madre ya no es posible retroceder. Sólo puede desconocerse el vínculo cuando éste se ha mantenido en el estrecho margen de ser un simple progenitor, donde la herencia biológica obliga legalmente pero no construye fuerza emocional, vincular desde lo humano y parental.

DIFERENCIAS ENTRE PADRE Y PROGENITOR

De alguna manera la existencia de este libro se debe a la necesidad de que todo progenitor o progenitora realice una metamorfosis y se con-

---

[2] Como ya hemos visto, la crianza monoparental se atribuye preferentemente a la madre y sólo excepcionalmente y en casos muy extremos y limitados se la otorgan al padre. Si bien en la legislación se abren posibilidades a que ambos Padres puedan ejercer la crianza, ésta casi siempre se asigna a la mujer.

vierta en PADRE (con mayúsculas). Muchas veces y durante mucho tiempo el varón quedó relegado a las periferias de los vínculos familiares, paternales, por lo que se hace necesario plantear que el padre debe darse (y *deben darle*) espacio y tiempo para que "construya fuerza emocional vincular desde lo humano y parental" (Zicavo, 2006). Es necesario que esté presente en el embarazo, luego junto al bebé, que se haga cargo de sus cuidados y que le otorguen licencia de padre para todo (incluyendo la tan anhelada y casi inexistente licencia laboral por nacimiento del hijo). Esto es fundamental para traspasar lo meramente biológico; *hay que dejar que el bebé lo atrape* (Ferrari, 1999), que el hijo lo conquiste en el devenir de la primera mirada, en el acto de atrapar el dedo pulgar de papá cuando en realidad está prendiendo su alma y encendiéndola.

Cuando abordamos el concepto de *crianza compartida* lo hacemos desde el referente de que las leyes deberían contemplarla no sólo desde el ámbito legal, sino también abordando el contacto físico duradero y mantenido en el tiempo. Nuestro verdadero objetivo es lograr que padres y madres mantengan sus derechos parentales, facilitando la participación paterna en las decisiones de educación, crianza y desarrollo, así como en el acceso al hijo por parte del Padre no tutor.

De esta manera la crianza compartida asigna a ambos Padres el mismo reconocimiento de deberes y derechos, ejercidos en responsabilidad coparental. La misma que existía con la conyugalidad.

Este compromiso no debe cambiar, pues no existe razón alguna que justifique la estructuración de tales distancias. La misma corresponsabilidad que existía durante la vida de la pareja debe mantenerse por el supremo derecho del niño de contar con ambos Padres bajo cualquier circunstancia (que no atente contra los derechos humanos del niño). Incluso estamos convencidos de que, en no pocas ocasiones, aquellos padres algo distantes en la crianza durante la conyugalidad (tal vez por el asignado sociocultural), una vez que tiene lugar el divorcio buscan volver a construir la cercanía en la crianza y reconstruyen el vínculo emocional dándose otra oportunidad para redireccionar el rol y revincularse afectivamente con mayor implicación.

Pero, ¿qué se comparte cuando hablamos de *compartir*?:

- Se comparte la responsabilidad ante cada decisión que involucre el destino o la felicidad de los niños, así como el desarrollo de sus potencialidades.
- Se comparte la convivencia cotidiana en periodos alternos (tanto como sea posible según las condiciones de vida y trabajo de sus Padres).
- Se comparte la garantía de no pérdida de relación significativa con el Padre, que no tiene a los niños en el lapso temporal mayor o menor.

- Se comparten las vacaciones, la diversión, el recreo, pero también las tareas cotidianas que tienen que ver con el colegio, las visitas al médico, el aseo personal y la corrección cuando ésta sea necesaria.
- Se comparte la vida en toda su extensión cotidiana, con sus buenos y malos momentos.

Después de trabajar durante varios años en temas de familia, estamos firmemente convencidos de que los hijos necesitan siempre a ambos Padres, independientemente de los errores personales cometidos por cada miembro de la pareja, más aun cuando la separación conyugal ha venido a dictar la tristeza cotidiana de múltiples carencias. Los Padres no son un accesorio periférico[3] que se usa cuando es conveniente, sino una necesidad, así como lo es la presencia maternal (Zicavo, 2006).

Los niños (independientemente de su edad) *tienen derecho* a contar con ambos Padres antes, durante y después de la unión conyugal, así como a recibir una paternidad y maternidad activa, aunque sus Padres estén separados de hecho y/o derecho.

¿QUÉ ES LA CRIANZA COMPARTIDA?

Antecedentes

En Chile y Argentina la crianza compartida es (sólo recientemente se habla de esto) casi desconocida. No obstante no es algo nuevo en Europa, sobre todo en los países escandinavos, así como en Canadá y Estados Unidos. La crianza compartida posee el objetivo de garantizar a ambos Padres derechos parentales, y así facilitar la participación paterna en las funciones y decisiones de crianza, además de construir un fácil y frecuente acceso al hijo por parte del Padre no tutor. Pero, por sobre todas las cosas, la crianza compartida garantiza que los hijos no pierdan a ninguno de sus Padres bajo circunstancia alguna, poniendo de relieve, en primer lugar, el interés superior del niño a contar con ambas personas y fortalecer el vínculo necesario para el desarrollo de la vida y personalidad de los hijos. Debemos señalar que, si de prioridades se tratara, estamos firmemente convencidos de que los hijos necesitan mucho más a sus Padres (a ambos) que lo que éstos requieren de sus hijos. No es que hablemos de una *competencia de afectos*, sino que creemos que los niños requieren de sus padres para siempre y en cada momento de su desarrollo (tengan meses de vida o ya transiten por los años juveniles). Los necesitan desde diversas dimensiones y cercanías, dictadas por el decursar de las necesidades de sus propios espacios y desarrollo.

---

[3] *Periféricos* en tanto son limitados a llamadas telefónicas o "visitas" (ya nos ocuparemos más adelante de este término, del cual se usa y abusa consciente o inconscientemente) de fines de semana.

Algunas voces públicas enarbolan la crianza monoparental, por entender que los hombres latinos no demuestran el desarrollo de una paternidad responsable en su personalidad. Estas voces tal vez asumen que estos seres masculinos son distintos a los "otros", pero no comprenden cabalmente que tal realidad es construida, es decir, es aprendida; por ello, si por ley se respalda la tuición de la madre es probable que tal realidad no cambie. No se deberá a la *naturaleza* de los hombres latinos, sino a que socioculturalmente se estará promoviendo la ausencia de compromiso en vez de su opuesto, con las consecuencias que esto traerá para los hombres, las mujeres y, sobre todo, para los niños, quienes verán cercenados sus derechos. Por otra parte, cuando los administradores de justicia otorgan automáticamente la crianza a la madre, el padre debe disponerse a entablar un juicio o toda una batalla legal para intentar el objetivo de que la crianza sea compartida. Además de todo lo que ello implica, dispondrá a la madre en su contra de por vida (no olvidemos a quién se empodera en este proceso), justamente lo contrario de lo que creemos se requiere para criar juntos y en armonía al hijo. Judicializar los problemas derivados del divorcio, la formación y la crianza, suele profundizar y/o eternizar los conflictos, lo cual probablemente sea una de las variadas génesis de las diversas enfermedades de nuestras sociedades actuales.

La *crianza compartida* no es más que lo que todo hijo debería tener siempre por parte de sus Padres. Cuando éstos deciden no estar juntos, como pareja, la crianza compartida constituye la mejor forma de subsanar los inconvenientes que en el hijo genera el divorcio o separación de sus Padres. A nivel jurídico se le denomina de distintas maneras según el país: tenencia, tuición o custodia compartida, o alterna. Pero preferimos hablar de *crianza* porque de eso se trata. Los otros términos pueden tener, a nivel jurídico, otras connotaciones que escapan a nuestro análisis, exclusivamente centrado en la necesidad de los hijos para mantener el vínculo fuerte y significativo con ambos Padres.

Por *crianza* entendemos hacer todo lo necesario para que el niño crezca y se desarrolle en armonía con el medio familiar, social y natural. Constituye lo que consideramos el deber (y el derecho) de los Padres hacia sus hijos, con el fin de garantizar su supervivencia, su salud, su educación, acompañándolos y protegiéndolos hasta que se conviertan en personas autónomas al término de su adolescencia.

En el casamiento religioso el sacerdote pronuncia las siguientes palabras dirigidas a los contrayentes: *...amándose y cuidándose hasta que la muerte los separe*. Pues bien, dado que frecuentemente la pareja decide separarse mucho antes de que lo haga la muerte, sería tal vez apropiado realizar algún rito en el cual los Padres se comprometieran a acompañar y proteger a sus hijos hasta que éstos sean autónomos.

Decimos *compartida* porque consideramos que la responsabilidad corresponde por igual a ambos Padres. Antiguamente, si bien la responsabilidad era del padre, los cuidados los brindaba la madre. Esto generó un modelo familiar en el que los varones estaban distantes –cuando no ausentes– de la atención de los hijos y donde todo el peso de las tareas recaía con exclusividad en la mujer. A finales de la década de 1960 dicha situación comenzó a cambiar. Hoy los padres están mucho más comprometidos (no todos) desde el comienzo de la gestación, en cada una de las tareas que requieren los bebés y luego los niños, que más tarde serán adolescentes.

Esta responsabilidad compartida, que es tan deseable dentro del matrimonio o de la pareja debe continuar cuando, por las razones que sea, el vínculo entre los adultos se disuelve.

Veremos a lo largo de esta obra cómo los hijos, estén o no sus Padres en una relación de pareja, igual los siguen necesitando para sobrevivir. Cuando uno de los dos falta, además de que el niño se ve afectado, el trabajo se duplica para el progenitor a cargo (generalmente la madre), el cual termina trastocando sus propias funciones. Esto trae perjuicios tanto para el niño como para la madre, quien además de renunciar a su pareja debe renunciar también a muchos otros aspectos de su vida.

En el libro *Ser padres en el tercer milenio*[4] (Ferrari, 1999) queda demostrado que la crianza de los hijos no tiene por qué ser exclusivamente femenina, y se observa cómo los hombres tienen todo lo necesario para participar de igual a igual en el cuidado de los hijos, cada uno desde su peculiar e individual forma de ser, pero con base en la equidad. Se deja en claro que no es nuestra intención remplazar la exclusividad de la mujer por la del hombre, sino que ambos compartan la crianza: para bien tanto de los hijos (que podrán desarrollarse de manera equilibrada y sana), como de las madres (que podrán continuar teniendo vida propia), y de los padres (que podrán disfrutar de sus hijos y de sus afectos).

Compartir significa, en este caso, que tras la separación ambos Padres se sientan igualmente responsables de todos los aspectos y particularidades de la crianza de sus hijos y que se repartan las tareas de manera equitativa, de acuerdo con lo que cada pareja (de Padres) estime pertinente, pero tratando que ambos estén con sus hijos tiempos equivalentes: que convivan y mantengan una relación cotidiana con ellos. La organización de los tiempos y espacios deben tener como objetivo lo mejor y más práctico para todos, pero dando prioridad a los intereses esenciales de los niños y sin que se privilegie a un Padre en desmedro del otro, cualquiera que sea la edad del niño o su sexo.

Esto tal vez no les venga bien a todos los Padres, pero le viene bien a todos los hijos. Algunos hombres y mujeres continuarán prefiriendo el

---

[4] Puede ser consultado en *www.serpadre.org.ar*, en Google libros.

viejo esquema en que la madre se hace cargo de todo y el padre desaparece… o lo desaparecen.

La convicción de que los hijos sólo necesitan a su madre, de que las mujeres sirven sólo para las tareas hogareñas y de que los hombres tienen cosas más importantes que hacer, ha dejado a millones de hijos sin padres, ha restringido a la mujer a su rol materno y ha privado a los hombres de las mayores delicias de sus hijos.

Claro que esto de ser Padres no es para todos. Siempre habrá padres y madres que eludirán de una manera u otra sus tareas, huyendo o delegándoselas a los abuelos o a las empleadas, y luego a las instituciones educativas,[5] siempre habrá padres que presten poca atención a sus hijos y se relacionen con ellos sólo con indiferencia, o gritos. Si el hombre o la mujer que usted eligió[6] es de estos últimos que hemos descrito, se tendrá que armar de paciencia y esperemos que este libro le ayude a convencerlo de tomar en serio sus responsabilidades, o al menos de acercarlo(la) lo más posible a su hijo, porque él los necesita a ambos.

Sabemos que hay muchos hombres que huyen cuando saben del embarazo o que corren tras algún objetivo extraño dejando a sus hijos abandonados. Hay otros que, por haber sido *educados a la antigua* o simplemente por comodidad, se mantienen a distancia y dejan que la madre, o cualquier otra persona, se haga cargo de sus hijos, pues ellos nunca encuentran tiempo para dedicárselos y siempre tienen excusas para no cumplir sus compromisos. Así también hay madres que delegan sus tareas maternas y otras que toman a los hijos como *objetos de uso personal y exclusivo* y hacen con ellos lo que se les antoja (incluido el dejarlos sin padre). Estas situaciones, en las que los adultos privilegian su persona y se comportan de manera egoísta e irresponsable causan un daño enorme a los hijos en el corto, mediano y largo plazos.

Por eso es que, en las últimas décadas, frente al aumento creciente de divorcios y de hijos que nacen fuera del matrimonio o sin que la pareja de padres mantenga un vínculo, ha aparecido una nueva realidad social que puede ser vista desde distintos ángulos: las madres solas, los hijos sin padre y los Padres a los que se les impide serlo. Por una cuestión de costumbres y de leyes, al separarse la pareja se le daba la custodia exclusiva a la madre y el padre desaparecía, o bien, se iba *diluyendo* en un insólito *régimen de visitas* en el cual, el hasta ayer padre, se transformaba en un

---

[5] Los niños sólo constituyen una *postal* de nuestra época. Hijos que casi no ven a sus padres, que están más horas con el televisor o la computadora que con alguna persona. La doble escolaridad que avanza a tambor batiente, con orgullo de los funcionarios, alegría de los sindicatos docentes y regocijo de los contratistas del Estado, minimiza el niño al triste rol de anónimo usuario de un servicio que no pidió ni desea y que lo aburre enormemente.

[6] Que *eligió* para casarse, vivir en pareja o tener un rato de intimidad y que terminó en embarazo.

extraño que podía ver a su hijo sólo un par de horas a la semana o cada quincena. Por decisión propia (de la madre o de la justicia) el padre resultaba *centrifugado* del hogar.[7] Ya llevamos entre dos y tres generaciones de hijos sin padre o con padres diluidos por el sólo hecho de haberse roto la pareja. Dos o tres generaciones de hijos reclamando padre y de padres reclamando hijos, fueron logrando, poco a poco, que estos funestos regímenes de visita se flexibilizaran, no fueran tan restrictivos y permitieran la continuidad del vínculo paterno-filial.

A pesar del desconocimiento general de lo que es e implica la crianza compartida, es posible que los ex cónyuges acuerden de manera privada este tipo de custodia por simple intuición o porque desean mantener ciertos derechos y privilegios para con los hijos. Son pocos, es cierto, pero comienzan a verse con más aceptación pública que antes. Por otra parte *la visita* ha dejado de ser vista como conveniente; se encuentra instalada la realidad de que mientras menos *visita* sea el padre y más *participe en la crianza,* mejor será para los hijos. Por supuesto, esto no alcanza para aquellas personas que profesan el odio o que desean que su ex pareja desaparezca.

La crianza compartida podríamos llamarla también *cuidado dual compartido de los hijos,* que implica la crianza compartida de los retoños por mutuo acuerdo voluntario o a través de mediación, donde el régimen de pensión alimenticia debe ser balanceado atendiendo a la equidad. Se trata de la *convivencia compartida* del hijo con ambos Padres, pudiendo ser ésta por semanas o meses, en forma alterna o sucesiva. No sólo involucra la atención personal del menor, sino que comprende además la prestación de los más variados apoyos; comprende más que el contacto físico: el *cuidado personal* tiene que ver con la comunicación afectiva y efectiva, así como con el desarrollo del apego y de la inteligencia de los niños.

La crianza compartida es un nuevo modelo relacional acorde a las necesidades de los Padres actuales, que guarda relación con el desarrollo armónico de los hijos y de los Padres, implicados en la pareja o en el proceso de separación conyugal. Es acorde a:

1. Las nuevas formas de relaciones y de procreación humana, o sea, relaciones acotadas en el tiempo (antes por toda la vida) y procreación en parejas no estables o sin pareja.

---

[7] Siempre hubo hijos sin padre, pero antes nacían de relaciones clandestinas o fuera del matrimonio. Ahora, a esos hijos se les suman los nacidos en parejas o matrimonios que se disuelven y que bajo el actual régimen jurídico pierden al padre como consecuencia de la legislación retrógrada y de los prejuicios de género. Lo nuevo es también que haya mujeres que buscan un hijo como si fuera una mascota o una prueba más de su independencia y que ex profeso lo dejan sin padre, respaldadas tras el estandarte hembrista de que, *para ser y florecer no necesitan de nadie más y que un hijo lo pueden tener y criar solas.*

2. El crecimiento explosivo en los últimos 40 años de hijos que han sufrido el divorcio o separación de sus Padres. Ese sufrimiento demostró que, sin duda el esquema posdivorcio monoparental es nefasto para los hijos (y para los Padres). Tal vez aquí resida uno de los puntos que nos inspiran a trabajar denodadamente, pues solemos encontrarnos en la práctica clínica y cotidiana con que los *hijos del divorcio* de ayer saben mucho de padrectomías añejas y no quieren repetir esa parte de la historia esta vez con sus propios hijos.

La crianza compartida consiste en asumir (por ambos Padres, la sociedad, las leyes y quienes las administran) que la autoridad, afecto, responsabilidad, cuidado y desarrollo de los hijos en común es deber y derecho de ambos, aun cuando éstos se encuentren separados conyugalmente (o si nunca hubieran vivido juntos, igual es su responsabilidad). De esta manera se manifiesta el respeto al superior derecho de los niños a continuar contando, afectiva, real y físicamente, con un padre y una madre, sea cual sea la circunstancia que éstos enfrenten.

La definición de crianza compartida implica entonces:

- Asumir que el contacto, la autoridad y la responsabilidad sobre los hijos son derechos y obligaciones que corresponden a ambos Padres equitativamente (afecto, cuidado y supervisión consensuada de sus hijos).
- Existencia del superior derecho de los niños a continuar contando, afectiva, real y físicamente con ambos Padres (acceso al contacto continuo, frecuente y significativo).
- Aplicar modelos relacionales y educativos de colaboración y respeto entre ex cónyuges.
- Todo cuanto concierna a los hijos comunes.

Nace la crianza compartida

Que el padre siguiera presente comenzó a dar buenos frutos. Hijos que estaban contentos de no perder a su padre y todo lo que esto les traía aparejado; madres satisfechas de no tener que cargar sola tal responsabilidad y padres que no quedaban devastados (Zicavo, 2006) por la pérdida de su mayor tesoro.

Pongamos las cosas en claro, siempre hubo hijos sin padre, desde el principio de la historia, como siempre hubo padres que paternaron más allá de las costumbres y las leyes; sin embargo, lo nuevo reside en que se ha roto con los viejos prejuicios, que también vienen desde tiempos remotos, de considerar exclusivamente femenina la crianza de los hijos y de que el único horizonte de una mujer fuera su maternidad. Al mismo tiempo se ha visto que los hombres pueden participar de dicha crianza con similar habilidad (o torpeza) que las mujeres.

Así nació la crianza compartida, es decir, de la iniciativa de Padres que la pusieron en marcha antes de que existiera legal o conceptualmente. Cuando se le comenzó a practicar, jueces, abogados, psicólogos, psiquiatras y académicos dijeron que era una locura. Que trastornaría a los hijos, que les quitaba estabilidad y que los confundiría... Pero, a poco de andar, sólo en una década, pudo observarse que los beneficios superaban ampliamente las posibles dificultades y que éstas no eran nada al lado de las consecuencias que tiene la desaparición o desvanecimiento del vínculo paterno y la consiguiente exclusividad materna. De todo esto daremos cuenta en los próximos capítulos y el lector entenderá por qué hemos concluido que, así como en el matrimonio es conveniente que ambos Padres participen de la crianza de los hijos, con mayor razón lo es cuando la pareja se separa o nunca existió.

No es que la crianza compartida tras el divorcio sea la panacea; en todo caso la *panacea* podría ser (y no siempre lo es) cuando están papá y mamá juntos con los chicos en el mismo hogar, rodeados de amor y alegría. Sin embargo, cuando la pareja se separa, la crianza compartida, es la menos mala de las soluciones. Es la que posibilita que el hijo no pierda a ninguno de sus progenitores y que sus vínculos sigan siendo igualmente significativos esto es lo que necesita para crecer con equilibrio y sin carencias en sus afectos primarios.

La crianza compartida requiere la adultez de los progenitores

Haber fallado como pareja conyugal no significa tener que fallar como pareja parental. Que su ex pareja no le haya servido como cónyuge no significa que no sirva como Padre, a pesar de que la tendencia siempre es a menospreciar sus cualidades también en ese ámbito. Sobran razones que fundamentan que tanto los hombres como las mujeres solemos desenvolvernos mejor como progenitores que como cónyuges, tal vez por la calidad y profundidad de los sentimientos en juego en cada caso y por cómo el amor nos mejora a todos y *nos alarga la mirada.*[8]

El viejo modelo de separación es nefasto. Aún hoy está presente en nuestras leyes que en los divorcios los hijos automáticamente pierden al padre. La exclusividad de la crianza para la madre hace que el padre se

---

[8] El amor "nos alarga la mirada" porque vemos más allá de nosotros mismos.

diluya o pierda toda su significación. El modelo monoparental, además de inconveniente para los hijos, resulta hoy anacrónico, ya que no todas las mujeres desean ser madres, ni dedicarse por entero a sus hijos o vivir toda su vida sin salir de la casa; al mismo tiempo, cada vez son menos los padres desinteresados o que se mantienen lejos de su descendencia. Por otro lado, tras la separación, la crianza compartida es lo que mejor permite respetar los derechos del niño de crecer cerca de sus dos Padres: ya que no los puede tener al mismo tiempo los tendrá sucesivamente.

Adoptar la crianza compartida es reconocer que cada Padre tiene los mismos deberes y derechos hacia sus hijos. Esta elección de vida significa que se respeta el lugar que le corresponde a su ex cónyuge, incluso si están en disputa tras la ruptura.

Como en todas las situaciones pioneras, está todo por hacerse. Cada familia debe encontrar su ritmo y sus puntos de referencia para que el niño pueda construirse y desarrollarse con sus Padres.

Tal modelo de crianza requiere la adultez de los progenitores, quienes no pueden pretender que el juez les resuelva todo como si fueran ellos los niños, incapaces de fijar horarios, acordar las cosas mínimas, ver objetivamente el tema del dinero, etc. Deben asumir que son adultos a cargo de niños y actuar responsablemente, priorizando el interés de los hijos.

TIPOS O MODELOS DE CRIANZA COMPARTIDA

No existe un solo modelo para asumir la corresponsabilidad parental posdivorcio. De acuerdo con la fuerza de la práctica y del devenir, muchos Padres ejercen diferentes tipos de crianza sin siquiera percatarse de que se encuentran innovando en este proceso. Por su parte, algunas ex parejas asumen, de manera totalmente consciente, que las alternancias los enriquecen a todos. Es así que en nuestros estudios hemos podido comprobar que los modelos practicados pueden clasificarse en:

1. *Crianza Compartida del Nido* (CCN). Ocurre cuando los hijos permanecen en el hogar conyugal (en el nido) y quienes se ausentan durante periodos alternos son ambos Padres. Esto permite que los hijos no cambien de ambiente; sin embargo, tal modalidad conlleva múltiples conflictos a corto plazo que tienden a desestabilizar la armonía relacional del grupo. Debemos señalar que este tipo de crianza no sólo opera cuando existe separación, pues podemos observarla también cuando uno de los miembros de la pareja debe trabajar a grandes distancias del hogar, regresando a éste por periodos determinados y generando dinámicas familiares peculiares.

2. *Crianza Compartida Constante (CCC).* Ocurre cuando la custodia legal se comparte pero los niños residen exclusivamente con uno de sus Padres, manteniendo el acceso libre y una relación fluida con el Padre no conviviente. No existen limitaciones de régimen de visitas o convivencias. Se comparten las decisiones y responsabilidad de todos los asuntos que involucren a los hijos. Esta modalidad requiere mucha madurez y ecuanimidad de ambos Padres.

3. *Crianza Compartida de Alternancias (CCA).* Ocurre cuando existe corresponsabilidad de ambos Padres y la permanencia física de los hijos se divide en intervalos similares (alternos) en el hogar de cada padre, asumiendo las diferentes realidades y relaciones, sin perder espacios de convivencia cotidiana.

Cualquiera que sea el modelo de crianza compartida que los ex cónyuges asuman, creemos que resulta un deber impostergable que cada Padre promueva y cuide el amor y respeto del niño por el otro igualmente válido e imprescindible en el crecimiento y desarrollo del niño. No hacerlo puede ser tan (o más) perjudicial como el descuido de sus necesidades[9] básicas.

No sólo es una cuestión de honor y de urgencia, sino que además es un asunto que incide directamente en la construcción de la salud mental de los niños y de sus Padres. En la medida en que los Papás cuiden del *otro* estarán cuidando:

- De la edificación de un modelo estable y cercano de padre/madre en la mente infantil, que será introyectado y le permitirá apropiarse y actuar él mismo como Padre cuando llegue el momento.
- De la construcción de modelos relacionales adecuados en la solución de conflictos en el imaginario psicológico individual del niño.
- Del desarrollo de la personalidad de sus hijos.
- De la autoridad, respeto y cariño auténtico que nace de los hijos hacia quien respeta y cuida de las otras personas importantes para él.
- De la tranquilidad espiritual que a todos nos asiste cuando ejercemos una buena acción ante el mundo, porque sabemos que todo lo que le hacemos a la vida, ésta nos lo devuelve con creces.

Si asumimos la necesidad y conveniencia sociofamiliar de poner en práctica la crianza compartida, entonces deberíamos marchar en pos de la modificación del concepto de *pensión de alimentos*, ya que ésta dependerá del tiempo que le corresponde a cada parte tener a su cargo el cuidado del hijo. Cada Padre tutor, en el lapso temporal que acoja a su hijo, tendrá el deber y la responsabilidad de alimentarlo, educarlo y mante-

---

[9] De sus **otras** necesidades básicas, porque los Padres son la primer necesidad básica de todo niño.

nerlo (salvo en el caso del tipo o modelo de crianza compartida constante). Si estos periodos atendieran a la equidad, entonces el lapso temporal siguiente deberá solventarlo el otro Padre. Tanto el proceso educativo como el financiamiento de los gastos debe ser responsabilidad de ambos y no de un solo proveedor, por la fuerza de concepciones anquilosadas. Y aunque éste no sea el tema de fondo, suele aumentar los escollos y conflictos cuando no es bien abordado. No obstante, es imprescindible señalar que tal financiamiento de gastos no sólo dependerá del tiempo que el hijo está con cada uno, sino que también guarda relación con los ingresos y recursos de cada Padre y con la necesidad de ser mutuamente solidarios a efectos de que el hijo mantenga un estilo y nivel de vida digno. En aquellos casos que se justifique, el que más remuneración reciba deberá contribuir con recursos al que menos gana (independientemente del género de éste), aunque estén tiempos alternos equitativos con su hijo.

La estabilidad y continuidad de los vínculos relacionales de los niños con el padre o madre *es un derecho inalienable* para el niño; pero también constituye un derecho privativo de *ambos* Padres. Alterar este orden es afectar el núcleo básico de la sociedad, desafiando el destino de la inclusión social futura de individuos que serán más o menos ajustados, según el atajo que se tome.

ALGUNAS PRECISIONES NECESARIAS

Con base en la experiencia profesional que nos respalda, creemos conveniente realizar las siguientes recomendaciones (sólo algunas) desde el punto de vista de las manifestaciones prácticas de la crianza compartida, en el entendido de que esto no puede ser una receta, sino sólo una guía general:

1. Todos los niños nacidos de la unión conyugal deberían vivir un tiempo alterno equitativo y consensuado (mediado) con ambos progenitores, quienes deberán cuidar y promover su desarrollo armónico en todo sentido, así como guardar con respeto la imagen del otro Padre; también deberían promover el contacto entre Padres e hijos.

2. Los hijos deberán poseer en ambas casas los útiles de aseo, vestimenta y ropa de cama, juegos y otros que demande su desarrollo adecuado, debiendo (estos artículos de uso y consumo) permanecer en cada una de las casas: paterna y materna, según las posibilidades concretas de cada cual.

3. Los niños deberían realizar el cambio de hogar un día de la semana consensuado (por ejemplo se recomienda los viernes o los lunes) en el cual uno de sus progenitores los dejará en la escuela en la mañana y el otro los recogerá a la hora de salida sólo con los útiles de estudio. Se puede tener como unidad de medida de permanencia dos semanas (14 días), como algo sensato que permite criar, estudiar en conjunto y disfrutar el contacto de manera equitativa.

4. Los Padres deberán encargarse de transportar lo imprescindible (libros, medicinas, uniformes escolares, alguna prenda especialmente querida, diarios de vida u otros artículos indispensables, juguetes especialmente queridos) y que por su costo, peculiaridad o dificultad sea imposible adquirirlos *dobles*, como para que permanezcan en ambos hogares. Los menores no deben *cargar* con bultos (esta tarea corresponde a sus progenitores). En lo posible los traslados de objetos personales de los niños deberán realizarse dentro del mismo día en que los hijos se cambien de hogar.

5. Durante las vacaciones, es deseable proceder bajo el mismo mecanismo de las alternancias quincenales e intentar mantener la equidad de tal manera que ni los niños ni sus Padres se perjudiquen con un escaso contacto producto de otras actividades extra de los menores (como campamentos, escuelas de verano, paseos de curso, etc.) En todo caso, la premisa de las decisiones debe ser: *el bien superior del niño, por sobre el de los adultos.*

6. Cuando se trate de niños en edad preescolar deberá consensuarse la forma concreta de cambio de hogar cada tres días, o bien, semanalmente (según sea el acuerdo o contrato), siendo el progenitor a cargo (de turno) el que deberá llevar al niño al domicilio del otro progenitor. De todos modos en cada caso habrá que ver cómo se ajustan los cambios a las necesidades del niño (y de las posibilidades de los Padres).[10]

Sin duda, bajo esta tutela se promueve la práctica de roles de colaboración más solidarios entre los Padres, los cuales jamás dejarán de poseer *acciones* en esta *empresa* que es el devenir histórico social de la vida de los hijos. Así cuando la niña presente su menarquia, o su primera ilusión o desilusión amorosa (similar en el caso masculino), cuando esté en puerta su boda y hasta su primer embarazo y parto, necesariamente deberán concurrir ambos Padres para aportar, desde su perspectiva individual, la dosis de paternidad que trasmita experiencia, rectificación, reflexión, comprensión, afecto, apoyo y educación.

De la misma forma, la responsabilidad compartida crea compromiso paternal y maternal sin exclusiones, lo cual redunda en múltiples beneficios. Para las mujeres por ejemplo, suele ser una excelente opción con el fin de disponer de tiempo y tener entusiasmo para dedicar a su desarrollo personal, lo cual mejora su imagen y autoestima y la dispone mejor hacia

---

[10] Para preescolares la alternancia quincenal suele ser muy larga, demasiado tiempo de separación, no más de una semana con cada padre es más apropiado, porque extrañan y desean ver al otro.

el rol maternal,[11] pues tiene mayor ímpetu, habilidad y más calidad en los afectos. Ello, debido a que no se sobrecarga de trabajo durante tiempo prolongado, como sí sucede con el modelo de crianza monoparental, donde el rol femenino suele anularse a favor del rol maternal.

Los tiempos y los espacios

Cuando hablamos de compartir la crianza, en parejas que se han separado, entendemos que esto ocurra de manera alternativa. Las dos diferencias principales con la crianza exclusiva son que, en nuestro caso, la responsabilidad es siempre de ambos Padres, y que los tiempos con uno y con otro son equivalentes. La distribución de esos tiempos tiene que ver con las edades, pero no necesariamente; en esto no hay reglas fijas. En cada caso se podrá establecer un cronograma para que todos sepan a qué atenerse. Para establecerlo, hay que estar atento a la evolución del niño, para no ponerlo en situaciones que no pueda dominar.

Hay dos conceptos básicos que deben respetarse, el primero es que los adultos debemos acomodarnos a las necesidades de los niños en la medida que podamos (a las necesidades de su crecimiento, no a sus caprichos); el segundo es que tratemos de que pasen la mayor cantidad de tiempo posible con cada Padre, y que esos tiempos sean equivalentes, es decir, que no haya preponderancia de uno u otro en el mediano y largo plazos.

No creemos que tenga sentido discutir si debe ser estricta la norma de los tiempos equivalentes (50 % con cada progenitor) o iniciar una pelea judicial por medio día más, o menos. No hay que ser principistas en los detalles, sino en la esencia. Lo principal para nosotros es lo planteado en el párrafo anterior, lo demás hay que acomodarlo según se vayan dando las situaciones en función de los intereses del hijo y de las posibilidades de ambos padres, pero sin mezquindad ni abuso.

Debemos tratar de adaptarnos a las necesidades del niño, a quien no podemos exigirle más de lo que su evolución le posibilita; es necesario respetar las necesidades que tiene para realizar dicha evolución.

Un ejemplo típico es la necesidad que el niño tiene de moverse, correr, subir y bajar, en sus diferentes edades. Son sus músculos los que le piden esto. Es su necesidad imperiosa de poner en marcha su coordinación visomotora, su crecimiento físico e intelectual, el que le pide a gritos correr y saltar. Si nosotros en su quehacer diario no le otorgamos

---

[11] Un amigo cercano, al leer estas líneas, nos decía: "Deben comentar que las mujeres, cuando tienen más tiempo para sí mismas, se ponen más bonitas, irradian alegría y energía, principal fuente de nuevas atracciones y experiencias. Verán que eso las termina por convencer de que la crianza compartida es lo mejor que les puede pasar, porque embellece el alma y ¡las hace ver más guapas!"

posibilidades de realizar lo que su cuerpo le pide, lo más posible es que igual lo haga. El niño necesita gritar (¿a quién no le gustaba, de niño, dar gritos?). Si no lo llevamos a un patio, a una plaza, a un parque o sitio donde pueda gritar a gusto, lo hará en nuestras orejas.

Así, en cada etapa y en los distintos aspectos del crecimiento los adultos debemos tratar de acomodarnos a las necesidades del niño. Cuando no respetamos sus necesidades empiezan los problemas: los desajustes entre lo que necesitan y la realidad. Éstos aparecen entre su empuje por cumplir sus mandatos biológicos y nuestros retos o falta de tiempo. Dichos desajustes, es decir, la diferencia entre lo que el indivi-duo desea y lo que tiene, en los adultos produce histeria y/o angustia y en los niños también. Lo cual no justifica el laxismo educativo de algunos Padres.

Los bebés

En los niños muy pequeños, los tiempos de estar con cada Padre se acortan, debido a que ellos aún no tienen elaborado el concepto del tiem-po, tal como lo concebimos nosotros. Tampoco han desarrollado su ca-pacidad de entender la constancia o permanencia de las cosas, más allá de su presencia.

Para un bebé o un niño pequeño, sólo existe lo que está delante de sus ojos, lo que capta con sus sentidos. Y todo esto en tiempo presente, pues no existe el ayer ni el mañana. Además, su memoria es muy corta y sus estructuras mentales no están todavía en condiciones de aguardar algo que venga más adelante. Como el futuro no existe para él, todo lo quiere en el momento y, si no se le complace de inmediato, estalla en gritos. No es que el niño sea caprichoso, sino que no está en condiciones de entender algo más allá del presente y de lo que perciben sus sentidos de manera rudi-mentaria (no porque no *capte bien*, sino porque no tiene todavía posibili-dades de procesar todo lo que percibe). Justamente esto es lo que los niños aprenden en los primeros años de vida, lo cual es fundamental para todo su desarrollo afectivo y cognitivo (y algunos creían que a esa edad el bebé no estaba haciendo nada).

Es por ello que en esta etapa, conviene que diariamente el niño vea a su padre y a su madre. Y es que, hasta que el pequeño no elabora el con-cepto de constancia, cree que lo que no está frente a sus ojos no existe más, lo cual lo angustia terriblemente, como si el mundo se le acabara (y de hecho para él, eso es lo que sucede).

Todos recordamos la atracción que sienten los niños pequeños hacia el juego con el adulto que se esconde atrás de una servilleta y se asoma. Los bebés creen que la persona desaparece en verdad. Justamente este juego, favorece la elaboración del concepto de permanencia, es decir, que las cosas existen más allá de que las veamos o no. Pero ello toma tiempo.

El niño tiene que entender que las cosas *existen* más allá de que las perciba o no. Durante siglos los filósofos han debatido esto; y nosotros pretendemos que el niño lo entienda rápidamente.

Del mismo modo que ocurre con el juego de la servilleta, el niño deberá entender que, aunque sus Padres *desaparezcan,* siguen existiendo, es decir, van a volver y lo siguen queriendo. Debe entender que, en caso de necesidad, en poco tiempo los va a tener a su lado. De aquí la necesidad que en los primeros años de vida, la frecuencia de los contactos con sus Padres sea la mayor posible.

Se extiende la oralidad a todo el cuerpo

Han caído los mitos sobre el apego (*attachement*) exclusivo con la madre y acerca del rol meramente simbólico del padre. Ya ningún científico serio puede decir que el bebé necesita a la madre exclusivamente: *el padre puede y debe estar allí.*

En la etapa oral que definía Freud (1905) el padre no tenía nada que hacer; comúnmente se decía que *el bebé sólo tenía hambre y como el padre no tiene teta no sirve para nada. Los recién nacidos requieren ternura y como esa tampoco era una característica masculina, la crianza era exclusiva para las mujeres.*

Pero luego, distintos investigadores vieron que la oralidad se extendía (Didier, 1970) a todo el cuerpo del bebé, a toda su piel, por lo que no sólo comer le causa placer sino también que lo acaricien, que lo toquen, que lo bañen, que le den masaje, que jueguen, que le hablen o le hagan sonidos; y *todo esto sí puede hacerlo el padre*. Al mismo tiempo se vio que la ternura no tiene género y que los padres pueden ser tan tiernos como cualquier madre.

Cuando se descubre que, para el bebé, tan importante como la comida es la presencia humana, las caricias, la palabra, los juegos, la mirada[12] ...allí entra el padre y se queda (aunque quieran sacarlo *por no saber*).

El *apego* o vínculo inicial no es como se planteaba, un vínculo por establecer sólo con una persona (la madre), perfectamente puede establecerse con dos personas (el padre y la madre). La primacía materna es social, adquirida, y no siempre positiva para el bebé, ni para los Padres.

---

[12] La importancia de la mirada como elemento sustancial en la evolución del bebé no ha sido suficientemente destacada y constituye, a nuestro modo de ver, uno de los principales medios a través de los cuales el bebé establece el contacto y los vínculos e interioriza su entorno en las primeras semanas y meses.

No hay edad para el comienzo de la crianza compartida; por el contrario, todo depende de cómo se ha construido la relación y conviene que, desde el inicio, estén ambos involucrados. Si históricamente el padre no lo estuvo, tendrá que tomarse el tiempo y el trabajo para estarlo. Si impedimos, dificultamos o espaciamos la relación (con la excusa que sea), cada vez será más difícil establecerla y el vínculo será más débil.

Los Padres deben adaptarse al ritmo del bebé y luego, cuando éste vaya creciendo, ya podrán establecer plazos más largos de tiempo con uno y con otro, porque el niño ya lo vivirá sin mayores dificultades, sobre todo si mantiene la comunicación posible y permanente con el que no está presente.

En cuanto a los espacios, es importante que se respeten los de cada uno. Ya veremos en los capítulos siguientes cómo pueden hacer los Padres para no inmiscuirse en los territorios del otro, a efectos de que la relación transcurra sin mayores inconvenientes; y ambos puedan respetar los espacios propios del hijo, para que éste no se sienta en el aire o que tenga la sensación de que no pertenece a ningún lugar. Los seres humanos somos territoriales, tengámoslo en cuenta.

TUICIÓN COMPARTIDA: ¿OPCIÓN U OBLIGACIÓN LEGAL?

Creemos que la crianza compartida es una opción y no una obligación.[13] Cuando se eleva a obligación legal un tipo de tuición, se corre el riesgo de reproducir injusticias individuales en casos no contenidos ni previstos en la letra jurídica. Tal vez debamos tener en cuenta el espíritu de equidad de estos preceptos e intentar llevarlos a la letra jurídica, pero es tarea de otros colegas que velen por lo justo desde su disciplina. No obstante, debería constituir una obligación moral personal para aquellos padres y/o madres (en menor proporción) que se marchan o evaden en vez de afrontar, construir y educar.

Por ello, cada caso resulta particular y debe someterse a análisis (no sabemos si llamarle de idoneidad[14] de los Padres, tenemos profundas dudas); tal análisis no puede ser potestad exclusiva de los magistrados (también con sesgos provenientes de sus experiencias personales y del legado sociocultu-

---

[13] Del mismo modo que paternar o maternar, porque de eso se trata.

[14] Diríamos que la sociedad y sus instituciones deben presumir "idoneidad" de los Padres hasta tener prueba de lo contrario; por ejemplo en aquellas circunstancias donde se pone en riesgo la integridad mental o física del niño. La idoneidad (¿?) no es un requisito para casarse ni para vivir en pareja (tal vez debiera serlo, no lo sabemos), no es un requisito para tener hijos y, ¿por qué va a serlo para continuar con la crianza? Este es un punto neurálgico que debemos abordar como sociedad con mayor ímpetu y profundidad.

ral), sino de una profunda exploración multiprofesional con expertos provenientes de las áreas de salud mental, trabajo social, autoridades públicas y el mismo sistema judicial con juzgados de familia capacitados constantemente, preparados y competentes para tal tarea. Tal opción vendría a cubrir un vacío legal existente en nuestras leyes en tal sentido.

En la actualidad muchos ex cónyuges, por la sabiduría cotidiana que emana de su propia individualidad y porque manifiestan deseos de bienestar en el aquí y ahora para sus hijos, la llevan a la práctica cotidianamente, con éxito (aunque no exenta de pequeños problemas), aun sin denominar el hecho como *crianza compartida*.

Los hijos de Padres separados que han puesto en práctica la crianza compartida presentan adecuado desarrollo en distintos ámbitos. Olavarría y Márquez (2004) afirman lo siguiente:

> La tuición compartida existe al menos desde hace veinticinco años en el mundo; desde mi propia perspectiva y bajo denominaciones diversas o carentes de éstas (me atrevería a afirmar que hace muchas más décadas es una realidad oculta, sólo que hoy se visualiza sin culpa). Lejos de producir daño psicológico a los niños, se ha demostrado ampliamente que los hijos de padres separados que se desarrollan en un sistema de tuición compartida presentan mejores indicadores objetivos de desarrollo emocional (los datos duros son: rendimiento escolar, tendencia al abuso de drogas, conductas delictivas, etc.), que los hijos de padres separados que se desarrollan en un sistema de tuición monoparental.

Aún más: nosotros con placer hemos comprobado que ningún progenitor que la ejerce se ha desentendido[15] de sus hijos luego de su separación y que los niños se desarrollan con peculiaridades similares a otros que tienen a sus padres juntos en unión conyugal bajo un mismo techo.

El que los padres moren bajo techos distintos no genera alteraciones; las patologías están dadas por el mal manejo, por el desacuerdo, por el abuso de los resquicios legales y de los poderes asignados socioculturalmente de unos en contra de otros.

---

[15] Esto es algo que destacamos de manera muy especial recordando a algunas madres como a ciertos jueces de la *vieja escuela*: si no quieren padres ausentes, permítanles y promuevan que estén presentes. Ambas cosas a la vez es imposible.

¿Qué sucede cuando no hay crianza compartida?

EL PADRE SE DILUYE

Este es el principal problema de la cuestión. La relación padre-hijo, como toda relación de afecto, se va construyendo día con día y en la proximidad. Con los viejos regímenes de crianza exclusiva materna, al perder la relación cotidiana con sus hijos el rol del padre (lo quiera o no), se va diluyendo, va teniendo menos peso y menos significación en la vida de sus hijos.

Los niños aprenden fundamentalmente con base en el ejemplo, a partir de lo que ven y sienten; no los educamos tanto con nuestras palabras y retos, sino mucho más con nuestro comportamiento, con nuestro ejemplo. La mayoría de esto sucede a nivel inconsciente. Si el padre no está, pierde la posibilidad de participar en la formación básica de su hijo, aunque le recite el decálogo del buen hijo o de la buena persona.

En algunos casos nos ha tocado observar, que cuando el niño ha estado sólo con su madre llega a la pubertad o a la adolescencia y comienza su etapa de rebeldía, entonces se lo envían al padre y le piden que se haga cargo. El padre, por más que quiera, no tiene empatía con él, porque fue un visitante y no un padre. El hijo le dirá, *¿quién eres tú?, ¿el que me dejó sólo con mamá?, ¿el que la abandonó?, ¿el que nunca estuvo cuando lo necesité?*

En los casos de separación y de Padres que nunca formaron pareja, más del 50% de los niños no ve más a su padre o lo ve de manera esporádica. Esto es fruto de los prejuicios a que hacíamos referencia y de sus consecuentes regímenes de tenencia exclusiva; el otro padre desaparece:

es excluido, centrifugado o se desresponsabiliza. Para algunos no hay nada mejor que le quiten la responsabilidad de encima, pues para ellos ser padre sólo significa ser un visitante ocasional. Si además tiene dinero,[1] incluso se convierte en una especie de Santa Claus (Papá Noel) que llega, de vez en cuando, a traer regalos.

Cada caso es una historia, pero lo concreto es que si mantenemos los regímenes de visita y de crianza exclusiva, debemos saber que alentamos y facilitamos que:

- El otro desaparezca.
- Quien posee la tenencia se haga dueño de la situación y obstruya al otro.
- El hijo quede medio o completamente huérfano.

La propia naturaleza de la crianza exclusiva para un progenitor lleva al otro a desvanecerse más allá de su voluntad. Pero además, si el padre tenía poco compromiso, con la exclusividad materna desaparece, y si estaba muy consustanciado, con su exclusión de la cotidianidad de sus hijos queda devastado, desequilibrado y al borde de perder su cordura.

SE ETERNIZA LA PELEA

Un padre separado nos contaba en cierta oportunidad que su abogado (Cándido Pillez, 1990) había sido muy claro y conciso: *Hay dos temas que se deben arreglar bien porque son el combustible de eternas peleas entre los ex esposos, el tema del dinero y el de los hijos. Si esto está bien resuelto, es decir, si los dos están satisfechos del arreglo, todo marchará sobre ruedas, de lo contrario todo será un desastre.*

Pues bien, la crianza exclusiva por un progenitor es fuente de eterna pelea, ya que es básicamente injusta. Una parte se queda con todo y la otra recibe migajas (además de ser injusta para los hijos ya que los deja sin un padre). ¿Cómo no va a haber pelea? La única posibilidad de que funcione es que, quien no tiene la tenencia, desaparezca; pero en ese caso aparecen nuevos problemas. El padre que desaparece no aporta nada de lo que su rol paterno implica. Esto trae consecuencias en la formación y en el carácter de sus hijos. Pero además, la madre debe afrontar sola los cuidados y, a menudo, sobrellevar una precaria situación económica.

---

[1] El tema del dinero en las ex parejas, su incidencia y sus consecuencias, lo hemos desarrollado ampliamente en nuestro libro *Ser padres en el tercer milenio* (Ferrari, 1999).

El deseo de algunas madres (y jueces) de que el padre no se meta en nada, que participe poco y, en cambio, aporte muchos recursos económicos, es una fantasía que difícilmente se concreta. Las personas no acostumbran hacer esto porque sí, sobre todo si no tienen participación alguna. Ni los hombres ni las mujeres se caracterizan por ser generosos con sus ex parejas, y mucho menos en materia de dinero y de bienes materiales. Éstos suelen convertirse en una de las formas preferidas para materializar los rencores y las cuentas pendientes.

El esquema de que uno tiene la custodia y el otro aporta el dinero ya no funciona más. Esto viene de la época en que los "señores" dejaban embarazadas a las *criadas* y estas partían sólo con el compromiso de que el padre de la criatura le enviaría dinero para su manutención, sin ya jamás querer saber de ellos. Las leyes consagraron ésto (crianza para una, manutención para el otro) con el fin de preservar el *honor* de los señores (y de sus legítimas esposas e hijos) y con un dejo de beneficencia hacia la ingenua mujer y su vástago, para que no murieran en la indigencia. Insistir en ese modelo en la actualidad es descabellado.

La cuestión de fondo es muy simple y similar a cualquier conflicto entre dos partes: si en el arreglo una recibe los beneficios y la otra los perjuicios, la pelea se eterniza. Hoy, los padres no aceptan ser alejados de sus hijos y no aceptan ser excluidos de sus vidas. Continuar dando la exclusividad a las madres (cualesquiera sea la edad del niño), es garantizar la disputa y su progresión en el tiempo. He aquí el origen de muchos espirales de conflicto que en el camino se tiñen de violencia y terminan en las páginas policiales de los diarios.

ES FUENTE DE VIOLENCIA

Es violencia dejar a un hijo sin alguno de sus Padres y es violencia dejar sin sus hijos a cualquiera de los Padres. No nos extrañemos si esa violencia genera más violencia. Son situaciones que devastan a cualquiera que las vive. Si a eso le agregamos los deseos de venganza entre los miembros de la ex pareja, incidentes por falta de cumplimiento con lo acordado, celos, nuevas parejas, bruscos cambios de vida y una dosis de desequilibrio personal, la situación se torna explosiva y es cuestión de semanas o meses para que haya gritos, golpes, puñaladas o tiros.

MAYORES DIFICULTADES
ECONÓMICAS

*Si la cultura y la Ley dicen que los hijos
son de la madre, pues que se haga cargo
ella. (Un padre en un foro de Internet.)*

Como hemos dicho, los padres que no participan de la crianza de sus hijos son más reticentes a dar dinero, por pensiones alimenticias impuestas.

Aquellos padres que, por propia voluntad, no participan (por ser unos irresponsables, por tener otra familia o porque en su educación familiar se les trasmitió que los hijos son una cuestión exclusiva de la madre), se apartan y se desentienden. No establecen vínculos afectivos con sus hijos y, por tanto, no se sienten obligados a nada, ni siquiera a dar dinero; si lo hacen es sólo para cumplir con la ley, pero se harán los desentendidos y darán la menor cantidad posible. Además, si la separación ha sido conflictiva y guarda rencor hacia su ex cónyuge, él sentirá que está premiándola con ese dinero que le otorga, por lo que se mostrará más reticente y esquivo.

Otros padres no dan dinero porque no lo tienen y/o son incapaces de conseguirlo. A ninguna madre se le echó por no dar dinero o por no gustarle trabajar, sin embargo, sigue absolutamente vigente el concepto del *macho proveedor*. Si el hombre no aporta pierde todos sus derechos y los hijos se quedan sin padre. Es muy posible que en todos los otros aspectos el hombre sea una persona valiosa, que podría haber aportado mucho a sus hijos, pero si no da dinero no tiene derecho de existir, desde la concepción machista de la sociedad, de absoluta vigencia. Si la que no da dinero es la mujer, esto no significa nada, pero si es el hombre ello se interpreta como que no quiere a sus hijos. Esto nos marca hasta qué punto los prejuicios de género están plenamente vigentes.

PERIPECIAS DE LAS MADRES
SOLAS

Nadie ignora las peripecias económicas que suelen pasar algunas madres que crían solas a sus hijos, cuando el padre no colabora o lo hace de manera discontinua, esporádica o escasa. Esto antes se veía como algo ineludible y lógico: *el padre parte, los hijos se quedan con la madre y ésta se las arregla como puede.* Pero, hoy, es perfectamente evitable si cambiamos esos prejuicios culturales (y jurídicos) para que los hijos –y la relación con sus padres– sean concebidos, tal como son *concebidos*, es decir, con la participación de ambos Padres y no como propiedad exclusiva de las madres.

A menudo la madre sola, resulta sobrepasada por la situación, desde que su hijo está en el vientre. Y es que, si entre dos, a veces, no logran contener las diferentes vicisitudes de la crianza, ¿cómo no va a ser pesado para una sola persona?

La situación se agrava con las madres adolescentes, quienes aún no están preparadas para asumir su propia vida y deben hacerse cargo de un hijo, en muchas ocasiones sin padre y sin su propia familia. Como la mayoría de los adolescentes, estas chicas no tenían mayores responsabilidades, autonomía económica, ni capacitación para ganarse la vida, pero de pronto, con el embarazo, todo cambia para ellas abruptamente. Cuando no se opta por el aborto, la solución suele ser que se haga cargo del bebé y de la madre su propia familia, que expulsen al *invasor* y que ella siga jugando al adolescente; también puede ocurrir que la familia la repudie y la corra de la casa para que se las arregle como pueda. *Pocos le dan importancia al padre*, incluso se le continúa marginando en el hospital (ya sea por la enfermera, el doctor, o la familia de la chica). El joven adolescente, además de estar confundido por la situación, con esa actitud de rechazo termina alejándose.

Algunas mujeres *adoptan* el personaje de *Supermadre*, es decir, aquella que puede con todo, que sabe todo, a quien le sobra tiempo y energía y que siempre está un paso más allá de las situaciones; pero esas mujeres son pocas y no nos atrevemos a afirmar que sus hijos vayan a ser muy felices, ni equilibrados.

La madre sola podrá hacer frente —en el mejor de los casos— a las necesidades económicas, físicas y alimenticias. Pero, ¿qué hay de las necesidades psíquicas del niño, de la construcción de su identidad y de su amor propio? Ya desde el mismo embarazo, en el cual la madre tiene que hacerse cargo de todo, muchas veces no le alcanzan las fuerzas o se siente invadida por la angustia de enfrentar sola tan grande responsabilidad y, a menudo, a contracorriente del mundo que la rodea. Estas situaciones de angustia, como las de agotamiento físico, no pasan inadvertidas para el nuevo ser que se desarrolla en su vientre.

El humano es un animal gregario y —salvo excepciones o momentos excepcionales necesita de sus semejantes. El embarazo, el parto y la crianza de los hijos son situaciones que no son para estar sola; pero además, quienes deben estar presentes son los principales implicados, es decir, el padre y la madre. Quizá algún sustituto le venga cómodo a ellos, pero ahí se empieza a escribir la historia de ese niño y a él no le vendrá nada bien empezar mal. Nadie concibe un casamiento y luego un matrimonio en el cual uno de los dos contrayentes falte (aunque de hecho ocurre); del mismo modo, en la crianza tampoco debe estar ausente alguno de los Padres.

Por otro lado, una vez que nace el niño la "madre sola" no puede darse el gusto de sentirse agotada o deprimida, ya que su bebé no tiene a quien recurrir. Todos sabemos lo acuciante que resulta cuidar a un recién nacido; es una tarea que no permite pausa ni descanso, uno duerme por ratos y aprovecha los sueños del bebé. Este reclamo de atención permanente dura varios años, porque luego, cuando el pequeño ya empieza a gatear y después a caminar, los peligros son constantes y debe estar siempre bajo la mirada del adulto. Todo ello sin contar que, afectivamente, los niños requieren esa presencia de los otros para comunicarse, intercambiar, socializar. De esa presencia permanente y actuante depende nada menos que su desarrollo intelectual, lingüístico y psicomotor.

Cuando son dos para compartir los cuidados, no sólo la carga de trabajo es más liviana sino que ello permite a cada Padre realizar otras actividades, lo cual no sólo es bueno para su vida sino también para descansar y decir, tomar distancia en relación con los cuidados del niño. Es común escuchar a las madres decir frases como esta: *Me estoy volviendo loca: con el único ser humano que me relaciono es con mi bebé; ya hasta balbuceo en vez de hablar.* Además, es importante considerar lo trascendente que es para ese intelecto en formación contar con la presencia íntima de dos seres en vez de uno, que le aporten todo.

LA DOMINACIÓN MASCULINA PERSISTIRÁ

La persistencia de la dominación masculina y de las estructuras que discriminan y rebajan a la mujer se debe a que a su vez persisten los modelos de razonamiento, que se encuentran en el origen de dicho esquema de poder. Mientras hombres y mujeres no *desinstalen* la inequidad de género de sus cabezas, la dominación masculina persistirá, aunque en algunos ámbitos, como en el hogar, esto parezca favorecer (o proteger) a la mujer. La crianza exclusiva para la mujer constituye uno de los pilares fundamentales de este modelo anacrónico y la posibilidad concreta de que se trasmita a las próximas generaciones.

LOS HIJOS QUEDAN *MEDIO HUÉRFANOS*

Nos acercamos a lo esencial de todo este asunto: cuando no hay crianza compartida y, como consecuencia de ello, el padre se diluye o desaparece, los hijos se crían *medio huérfanos* y esto no puede ocurrir sin consecuencias negativas.

La ausencia del padre no sólo tiene consecuencias materiales, sino que la carencia se extiende a todo aquello que puede aportar: desde su historia y su familia, hasta su forma de ser, su forma de relacionarse, etcétera.

A esos chicos les falta la mitad de su herencia, de su historia, de su identidad, y fundamentalmente el cariño y las caricias que necesitan. Con los Padres ocurre como con el café con leche: si falta uno de sus ingredientes, por más que agreguemos del otro (o que pongamos azúcar), jamás será café con leche.

Los niños que crecen sin la presencia de un progenitor viven en constante vergüenza, pero además, el niño sin padre queda en una situación sumamente frágil desde todo punto de vista y mucho más expuesto a los avatares y peligros de la vida. La madre sola, por valiente y protectora que sea, no deja de estar sola para enfrentar al mundo. *En Latinoamérica, en las poblaciones marginadas urbanas, suburbanas y rurales, la vida para estos chicos sin padre, es aún mucho más difícil.*

Hay hijos que no perdonan que los hayan dejado sin padre. Algunas madres (y abuelos) nos han dicho: *No sabemos qué le pasa al nene, siempre está de mal humor, se enoja con facilidad, hace caprichos y llora por cualquier cosa.* A lo anterior pueden sumarse molestias a la hora de dormir, problemas de salud. Una abuela nos contaba que su nieto *orina encima de ella: yo estaba parada y sentí una cosa calientita en la pierna.* Son niños que, además de faltarles el padre, escuchan lo que su madre, sus familiares y amigos dicen acerca de su padre ausente, y entonces buscan usar todos los medios a su disposición para manifestar su desagrado.

LOS HIJOS CRECEN CON EXCESO DE MADRE Y CARENCIA DE PADRE

Esa situación es muy conocida y no creemos que haga falta detenernos demasiado en explicar de qué se trata, ya que todos conocemos a hijos con *demasiada madre.* Si antes, por el esquema tradicional familiar, la mayoría de los hijos se criaba con *mucha madre y poco padre,* ahora –cuando directamente el padre no está– no hay quien contrarreste y equilibre esta excesiva presencia materna.

Dejemos de lado también el viejo mito de que la mujer, por el solo hecho de ser madre, se transforma en una persona intachable y con todas las virtudes. Reconozcamos que algunas madres son algo obsesivas, depresivas, o gozan de poco equilibrio; o que algunas no tienen tiempo para sus hijos, o que nunca quisieron ser madres, o que sólo les interesa divertirse, o lo que sea. Y los niños, cuando no está el padre, quedan totalmente a expensas de la madre. La imperfección, los desequilibrios, la irresponsabilidad y los vicios no son una exclusividad masculina.

Otro mito es que la mujer se convierte en *santa* al ser madre. Este mito está presente en el inconsciente colectivo, sobre todo en nuestra cultura latina, pero poco tiene que ver con la realidad, lo cierto es que uno tiende a mejorar para sus hijos, pero esto no siempre se logra. Los niños son seres indefensos, que a veces quedan a expensas de personas y situaciones que les hacen mucho daño. La relación de un niño con un adulto es tremendamente desigual, desde cualquier punto de vista. En los hogares con un solo progenitor el hijo no tiene a nadie más que le dé una mano, un abrazo, o que le brinde una segunda opinión. Cuando hay problemas en la personalidad de esa madre, en el modo de vida o en la distribución de su tiempo, no hay quien oriente a ese niño. Más allá de la presencia de abuelos u otros parientes, estos personajes no suelen tener el peso y la significación de su madre, por lo que no son útiles para equilibrar nada, ni para servir de vía de escape de los excesos o carencias de su madre.

Por otro lado, cada vez hay más madres totalmente solas[2] con sus hijos (sin familia, amigos, ni vecinos) y estos niños sólo tienen en el mundo a su madre. ¿Qué sucede cuando, como decíamos, la madre es una persona que no goza del equilibrio deseable? Es el niño en la más absoluta soledad, debe soportar y contener toda esa situación. A menudo vemos, niños y niñas que parecen adultos[3] y que se hacen cargo de un sinfín de obligaciones que no corresponden a su edad, pues deben paliar los errores maternos.

Tampoco podemos dejar de considerar que muchas madres de manera consciente o inconsciente, cargan en ese hijo la culpa de sus desgracias. Muchas consideran que embarazarse cambió para mal su vida porque tuvieron que abandonar sus sueños e ilusiones. Esto que no es un privilegio de los hijos sin padre, pero se agrava cuando éste está ausente, no sólo porque las descargas maternas son mayores y más habituales, sino porque no tienen con quién equilibrar tal realidad. Debe enfrentar solo esas acometidas maternas con serias consecuencias para su autoestima en formación.

No se trata de realizar aquí una campaña contra las madres, aunque así parezca. Lo que sucede es que en nuestra cultura *tocar a la madre es lo peor* y nos parece bien que así sea (es una excelente medida de defensa de la especie). Sin embargo, cuando hacemos un análisis racional o cuando tenemos que encarar una situación real, debemos tener en cuenta que la maternidad no es un proceso de sanación ni de santificación y —mucho menos— de infalibilidad.

Defender la maternidad, como defender la paternidad, no debe significar desconocer o negar que existen madres y padres que dañan a sus propios

---

[2] Muchas mujeres deciden paliar su soledad momentánea o crónica con un hijo. A veces son las circunstancias de la vida las que llevan a una persona a estar sola, o bien, la propia personalidad es la que busca la soledad, sin embargo, muchas veces lo intolerante o intratable de la persona es lo que la llevan a estar sola. En estos últimos casos al hijo le toca una pesada tarea, pues no sólo tendrá que vérselas con una persona irascible, sino que además lo deberá hacer en la más absoluta soledad, por lo que difícilmente saldrá indemne.

[3] A aquellos hermanos mayores que asumen roles adultos que no les corresponden se les denomina *hijos parentalizados*.

hijos. Eso es una razón más para propiciar el ejercicio conjunto de ambas funciones como lo más sano y equilibrado para la formación del hijo. La mejor prevención que puede hacer el Estado, en relación con la contención social, económica y educativa de las nuevas generaciones, es favorecer con todos sus medios el ejercicio conjunto de las funciones paternas y maternas. De lo contrario deberá seguir haciéndose cargo cada vez más de las consecuencias producto de decisiones irresponsables y egoístas de adultos que no se asumen como tales y que luego deben vivir a costa de la comunidad.

Estar con un solo progenitor puede resultar llevadero y no tener mayores consecuencias cuando se logra establecer un ambiente familiar sano y de puertas abiertas en las que el niño puede encontrar, en otros personajes, lo que no encuentra en su madre o puede hallar contención cuando hay problemas. Pero si madre e hijo constituyen un círculo cerrado o si la madre tiene ciertos desequilibrios, el niño deberá enfrentar serias dificultades, sin tener a quién recurrir.

La maternidad no viene con un bolso lleno de sapiencia o cordura, ni otorga la infalibilidad papal. Sin embargo, en el discurso generalizado pareciera que los malos padres son la norma y las malas madres la excepción. El consumo de droga y alcohol no es una práctica exclusivamente masculina, y cada vez más, la equidad de género llega también a estas malas costumbres. En cambio, lo que sí ha aumentado entre la población femenina es el uso y abuso de pastillas de todo tipo y color (para dormir, tranquilizantes, antidepresivos, etc.), quizá justamente para afrontar solas las situaciones que las superan.

Cuando se habla de la necesidad de la presencia paterna, es común escuchar que ésta es algo deseable, *siempre y cuando el padre sea una persona correcta, porque a muchos más vale perderlos que encontrarlos*. No falta el relato de alguien sobre alguna experiencia personal o de algún allegado, en donde se afirma que la mujer hizo bien en alejar al padre porque era *borracho*, *vago* o *mala persona*. Sin embargo, la realidad nos dice que estas características humanas no tienen género, pues también puede haber personas de sexo femenino que no sean muy afectas al trabajo, que les guste entregarse al alcohol o que realicen malas acciones, pero esto sucede con un agravante: algunas de estas mujeres están solas con sus hijos y ellos quedan totalmente expuestos a sus avatares.

NADIE SE INTERPONE ENTRE LA MADRE Y EL HIJO

En muchas ocasiones se dan relaciones enfermizas, círculos viciosos por esclerosamiento del cordón umbilical. Los libros de puericultura del siglo pasado hablaban de la díada, refiriéndose a la especial relación (apego) entre la madre y el hijo, y decían que el principal rol del padre era romper esa díada para que ese vínculo exclusivo y excluyente no se prolongara en el tiempo. En el siglo pasado se veía la díada como fundamental cuando el hijo era bebé, pero se reconocía que si se continuaba resultaba perjudicial para el desarrollo del niño. Estudios posteriores (Montagner, 1988) dejaron en claro que *el apego* podía darse con más de una persona, por lo cual, el padre puede y debe estar desde un primer momento.

Para ejercer alguna influencia válida el padre debe estar presente; porque si el niño está cotidianamente con su madre y al padre lo ve un rato cada 15 días, ese vínculo no tiene ninguna posibilidad de ejercer algún contrapeso y mucho menos cortar un viejo y reforzado cordón umbilical.

Aunque se trate de personas sanas, la relación entre un adulto (en este caso la madre) y un niño es de una desigualdad absoluta. Es muy común que se produzca una simbiosis en la que el hijo termina absorbiendo todo lo que su madre le da sin ningún tipo de reflexión, con graves perjuicios para su personalidad y sin asumirse nunca como un adulto con vida propia y capacidad para tomar decisiones.

En otras ocasiones es la madre, la que asfixiará al niño o a la niña, quien podrá responder revelándose y generando una relación violenta y escabrosa, o bien, partiendo y poniendo distancia, sin tal vez haber aprendido aún todo lo necesario para encarar una vida de manera autónoma.

SI SE LES *DESPADRA*, SE *DESMADRAN*

Desmadrar significa no respetar las normas, salirse de lo estipulado por la Ley. Fue el psicoanálisis el que planteó *que los padres representan la Ley*.[4] No sabemos hasta qué punto esto sigue siendo cierto, pues los trabajos que se encuentran al respecto no hacen más que repetir sin reflexión crítica de por medio lo dicho por otros psicoanalistas, como si en los últimos 50 años no hubiera habido ningún cambio en los roles de los Padres o en la crianza de los hijos y, por tanto, en la representación que éstos se hacen de sus Padres.

Las madres se hacían cargo dentro del hogar y los padres por fuera, del contacto y de la salida al mundo exterior, pero, suponiendo que esto fue así, desde hace ya varias décadas la mujer está tan fuera como el hombre (aunque el hombre no tan dentro del hogar como la mujer) y sabe tanto como él acerca del mundo exterior, de las normas y leyes que lo rigen.

---

[4] Así como en la religión católica, el padre representaba a Dios, al Rey y al Estado (al orden constituido); y de ahí que tenía el poder absoluto sobre su familia.

El tema es que, cuando solamente está la madre, a veces no basta para controlar a los hijos, y entonces éstos crecen sin reglas ni límites y hacen lo que se les antoja, primero con la madre y luego lo intentan con el resto de las personas, lo cual provoca choques de diversa índole y con diferentes consecuencias, algunas más graves que otras. Si se les *despadra*, se *desmadran*.

Cuando siempre se hace caso a sus caprichos, los hijos aprenden que son ellos los que fijan las reglas, lo que ocasiona que al socializar enfrenten crisis relacionales inevitables. La adaptación a un mundo con sus propias reglas y en el cual *ese niño* es intrascendente, no es fácil para quien estaba acostumbrado a que todo girara a su alrededor. *Esos chicos pasan de una madre, para quien son todo, a un mundo en el que* "son nadie". Se sienten perdidos cuando perciben que en el *mundo real*, no existen como seres únicos, sino que son *uno más*. Entonces hacen lo que sea para hacerse notar.

No suelen tener respeto por los otros, nadie les enseñó que los demás merecen tanta consideración como uno mismo; fueron criados como pequeños príncipes o modernos dictadores, a los cuales hay que satisfacer todos sus deseos. Si son hijos únicos, todos estos problemas no hacen sino agravarse, ya que no han aprendido a esperar, ni a compartir, ni a que existen otros aparte de ellos. Los otros ayudan a identificar y a construir el yo. Las reglas de convivencia son las que ellos imponen a su madre y no aceptan las reglas preexistentes o las que quieran imponerles otros.

También hay quienes consideran al mundo como su enemigo, causante de todos los males que debió y debe sufrir su madre. Las injusticias sociales, la marginación y discriminación constituyen, en muchos casos, el fuera del círculo íntimo entre el hijo y su madre; cuando él sale de ese círculo, es para tomar revancha. El concepto de respeto por la sociedad y por la Ley no existe para un muchacho que siempre sintió que ni una ni otra estaban de su lado. ¿Por qué habría de sentirse parte de una comunidad con ausencia casi total de gestos solidarios, si sólo recibió desprecio y malos tratos; si vio cómo explotaban o humillaban a su madre (en el trabajo, en esas colas interminables de los hospitales públicos o de las oficinas de asistencia social)? Las injusticias sufridas durante años no son privativas de los hijos de madres solas, pero sin duda éstos las viven con más intensidad al tener menos contención y al estar menos protegidos.

No se trata de estigmatizar a los hijos de madre sola, porque de hecho muchos de ellos crecen con perfecta salud mental y emocional; sin embargo, tampoco podemos dejar de considerar que la ausencia del padre no es gratuita y que, en algunas ocasiones, resulta muy cara emocionalmente hablando.

Es buen momento para decir que esta descripción de *los males* que suelen sufrir los hijos sin padre o con *poco padre*, no es inevitable ni mucho menos acumulativa, pero consideramos que describir con detalle lo que en diferentes situaciones sucede puede servirnos para actuar de manera preventiva, o bien, para entender algunos comportamientos y realizar una intervención positiva.

Cuando no hay crianza compartida y sólo la madre se hace cargo, el padre tiende a desdibujarse ineluctablemente y carecerá de influencia, no tendrá ascendiente sobre sus hijos. Esto (que al principio la madre lo ve como positivo porque le da vía libre), en realidad la ata de una manera inapropiada; así, al llegar sus hijos a la pubertad y necesitar ayuda frente a la natural rebeldía adolescente, se dará cuenta de que el padre no le puede ayudar porque carece de autoridad, de ascendiente. El vínculo está dañado, es débil y a veces insignificante, en especial para el hijo. Los vínculos filiales pueden ser como los músculos: si no se usan se atrofian.

LA FALTA DEL PADRE: ¿AFECTA?

Resultaría muy interesante e importante conocer, en cualquier lugar de nuestra América, la cantidad de niños con padres ausentes, y mucho más, sería saber cuántos varones estando ausentes, no lo desean.[5] Conocer el número de padres que se encuentran *padrectomizados* (Zicavo, 2006) no es posible o al menos no resultaría una tarea sencilla, simplemente porque esto parece no ser importante socialmente... De esta manera, los estudios estadísticos serios, dependientes de las políticas públicas ministeriales, no se han preocupado por medir esta realidad. ¿Será que la carencia del padre no afecta? O tal vez ello tiene que ver con que este tipo de investigaciones se realizan desde los institutos de la mujer o similares. Dichos estudios, ya sea por ideología hembrista (con tintes de misandria[6]), por prejuicios o por deformación profesional o institucional, los realizan hombres y mujeres que creen que *ninguneando* al hombre dignifican a la mujer. Es sorprendente cómo obvian tomar informaciones valiosas o pasan por alto datos que podrían servir de mucho para saber qué está pasando o evaluar la marcha de planes y acciones. Nuestro querido amigo y colega Manuel Calviño (reconocido y prestigioso psicólogo cubano), decía que una estadística bien torturada, culminaba confesando lo que deseábamos que revelara...[7]

Sin duda que la falta de padre afecta el desarrollo integral del hijo y sus proyecciones de progreso futuro; no nos engañemos. Sin embar-

[5] Prometemos investigar más a fondo las razones de tales distancias y si éstas son impuestas, autoimpuestas, elegidas o asumidas.

[6] *Misandria*: odio al hombre por el simple hecho de serlo, asumiendo estas mujeres que todo hombre es representante del género y el machismo, quedando atrapadas por una filosofía, ideología y conductas tan obtusas y aborrecibles como la misoginia.

[7] Un ejemplo muy peculiar sobre todo son los informes de Shere Hite (1976). En el informe sobre "sexualidad femenina" en 3000 casos estudiados, casi no encuentra mujeres que disfrutan en el coito con los hombres, pero además no hace ninguna mención a las relaciones anales. En 1981 en

go, existen posiciones hembristas que intentan desconocer (no inocentemente) esta realidad, otorgando poder totalista a las decisiones de la mujer por sobre su cuerpo y las "extensiones" de éste, ya que entienden lo maternal como corporal femenino expulsando al hombre de las decisiones principales relativas a los hijos y sin querer percatarse de que esa ausencia influirá negativamente en el desarrollo de quien ella llama *su* hijo. El hombre será útil para concebir pero no para criar, transformando al ser humano masculino en una cosa desechable con fecha de expiración próxima... Es la cosificación del hombre, del padre, la misma que se critica en el machismo misógino hoy hecha realidad de poder en el hembrismo misándrico. En definitiva, todo pasa por controlar el *poder* y este espacio; no sólo han decidido que es *su* reducto, sino que intentan ampliarlo a todos los años que durará la crianza del hijo.

---

el informe sobre la "sexualidad masculina" hay centenares de páginas sobre el sexo anal entre hombres. Además, en el primero independiza a la sexualidad de la mujer de los hombres y en el segundo libera a las mujeres de cualquier insatisfacción del hombre. Resulta interesante cómo en un lustro la Sra. Hite no emprendió investigaciones más completas... (¿o deberíamos pensar que abiertamente fue tendenciosa, ocultando información, escamoteando o tergiversando datos?). Igualmente aprendimos muchísimo estudiando ambos libros y los recomendamos vivamente, aunque debamos hacer estas advertencias sobre las interrogantes señaladas.

Los hijos necesitan a su padre: ¿por qué y para qué?

El hijo necesita al padre para elaborar sanamente su identidad, para saber de dónde viene y de quiénes proviene; para que se sienta absolutamente seguro y al abrigo de todo tipo de temores; para elaborar su femineidad o masculinidad; para que le explique las cosas de la vida y el funcionamiento del mundo; para tener con quién jugar, de quién aprender, a quién imitar, de quién diferenciarse, con quién pelear, a quién abrazar y con quién salir a conocer el mundo; para que le enseñe las reglas del juego, para comprender que hay otros seres iguales que él en el resto del planeta; para entender que, si bien para sus Padres es único, para los demás es *uno más*.

Veamos con detalle todo esto que acabamos de mencionar.

SI FALTA HAY VACÍO

Ambos Padres son parte de su persona; si faltan, ésta se resiente. En el interior queda un enorme vacío y hacia el exterior una constante vergüenza y un sentimiento de que, desde el inicio, le han robado una parte importante de su ser.

Una muestra de esto es cómo, en algún momento, los hijos van en busca del progenitor perdido, sienten una necesidad imperiosa de encontrarlo, aunque sólo sea para *cerrar el círculo*. Esto puede ocurrir cuando ellos, a su vez, se convierten en padre o madre, o también al morir o volverse a casar el progenitor presente, al llegar a la adultez o llegando a la vejez. Pero, en algún momento, el hijo siente la necesidad apremiante de llenar ese pesado vacío que cargó hasta ese momento.

MAYOR RIQUEZA

Tener a ambos Padres presentes dota al niño de una mayor riqueza, ya que cuenta con la personalidad, la historia y la familia de ambos. Se nutre así, cotidianamente, del intercambio, de la interacción y del diálogo con los dos.

Por ejemplo, para un bebé es absolutamente diferente estar con una sola persona que con dos y para un niño de dos o cinco años ocurre igual. La cantidad de experiencias diferentes que esto le hace vivir, confrontado a emociones y formas de vivir esas emociones por dos personas en vez de una; actitudes, caricias, juegos y modos de ver la vida que difieren y que constituyen fuentes de formación invalorables.

Esa riqueza, proveniente de sus dos progenitores le pertenece por derecho propio. Cercenárselos es robarle la mitad de su pasado, presente y futuro.

CRECER EQUILIBRADO

El padre sirve para equilibrar la presencia de la madre, no sólo desde lo masculino, sino también desde su propia existencia, desde su historia y perspectiva diferente. Cuando está uno solo, el niño corre el riesgo de resultar influido en exceso por la personalidad de ese progenitor, sea éste de características avasallantes o no. La dependencia es tan grande, y es tanta la diferencia de estatus, que cuando están los dos solos es muy difícil lograr un equilibrio en la relación que permita al niño crecer con su propia identidad. Algunos hemos presenciado cómo un niño estalla en gritos cuando su madre desaparece tras una puerta y cómo entra en un estado de desesperación que acaba sólo si su madre vuelve a aparecer. Este hecho, más allá de lo inmanejable que resulta para los otros adultos presentes, debe hacernos pensar lo que ese niño está sufriendo y la fragilidad de su equilibrio. Esto no sólo le ocurre a los hijos de madres solas; también pasa en hogares en donde el padre está pero no participa para nada en la crianza. Por hacer un símil ocurre como en física inversa, en donde dos padres pesan menos que uno, al menos en cuanto a aplastar la personalidad en formación del niño.

MAYOR Y MEJOR CONTENCIÓN

El padre ayuda a lograr una adecuada *contención* del hijo. Muchas veces la crianza nos pone ante situaciones en las que el Padre o el hijo necesitan poner distancia o buscar apoyos, solidaridad, complicidad. Cuando están ambos progenitores eso se facilita y suele lograrse dentro de la misma familia. Esto constituye en sí una garantía, ya que cuando el niño o el joven no encuentran esa contención adentro, la busca fuera, pero la calle no suele ser buena consejera. Es muy bueno que, según las situaciones, los hijos puedan alternativamente apoyarse más en el padre o en la madre, dependiendo de las necesidades del momento. Así siempre se sentirán contenidos, protegidos y queridos.

IR HACIA DELANTE, SUPERAR ETAPAS

¿Cuáles suelen ser los aportes específicos del padre, al menos en el actual esquema? En el futuro, cuando se avance de manera efectiva (más que efectista), en la equidad de los géneros, tal vez esto funcione de otra manera. De hecho, cuando decimos que el padre socializa al hijo con el mundo exterior, ello depende de si la madre está siempre en casa, o si realiza actividades laborales u otras fuera de ella. En el mismo sentido podemos decir también que hay padres que son mucho más *cuidadores* o sobreprotectores que la madre y se asustan ante cada nueva experiencia de sus hijos.

Pero igual creemos que un padre *implicado* ayuda a ir hacia delante, a vencer cada etapa, a realizar proezas todos los días; socializa al hijo fuera de casa, le ayuda a entender e interiorizar las reglas del juego social; le amplía el vocabulario, introduciendo el del mundo exterior y sus aptitudes para comunicarse con el resto del mundo. El padre suele ser más exigente que la madre en cuanto a alentarlo para que deje de ser bebé, niño, adolescente y pase a la etapa siguiente...

ES UN DERECHO DEL NIÑO

Es un derecho que la mayoría de las constituciones nacionales ya han consagrado y que por tanto, las leyes, por retrógradas que sean, deben respetar. Los hijos tienen derecho a crecer junto a sus padres y a conservar ambos vínculos.* Revisemos más detenidamente lo establecido en la

---

*Convención sobre los Derechos de los Niños (1989). Véase también Ley 23 054, sancionada en Argentina en 1984, denominada *Ley del derecho a la identidad*.

Convención sobre los Derechos del Niño y que están siendo incorporados en las respectivas legislaciones nacionales (el subrayado es nuestro):

Artículo 7

El niño será inscripto inmediatamente después de su nacimiento y tendrá derecho desde que nace a un nombre, a adquirir una nacionalidad y, en la medida de lo posible, a <u>a conocer a sus padres y a ser cuidado por ellos</u>.

Artículo 8

1. Los Estados Partes se comprometen a respetar el derecho del niño a <u>preservar su identidad</u>, incluidos la nacionalidad, el nombre y <u>las relaciones familiares</u> de conformidad con la ley sin injerencias ilícitas.
2. Cuando un niño sea privado ilegalmente de algunos de los elementos de su identidad o de todos ellos, los Estados Partes deberán prestar la asistencia y protección apropiadas con miras a restablecer rápidamente su identidad.

Artículo 9

1. <u>Los Estados Partes velarán por que el niño no sea separado de sus padres</u> contra la voluntad de éstos, excepto cuando, a reserva de revisión judicial, las autoridades competentes determinen, de conformidad con la ley y los procedimientos aplicables, que tal separación es necesaria en el <u>interés superior del niño</u>. Tal determinación puede ser necesaria en casos particulares, por ejemplo, en los casos en que el niño sea objeto de maltrato o descuido por parte de sus padres o cuando éstos viven separados y debe adoptarse una decisión acerca del lugar de residencia del niño.
2. En cualquier procedimiento entablado de conformidad con el párrafo 1 del presente artículo, se ofrecerá a todas las partes interesadas la oportunidad de participar en él y de dar a conocer sus opiniones.
3. <u>Los Estados Partes respetarán el derecho del niño que esté separado de uno o de ambos padres a mantener relaciones personales y contacto directo con ambos padres de modo regular</u>, salvo si ello es contrario al interés superior del niño.
4. Cuando esa separación sea resultado de una medida adoptada por un Estado Parte, como la detención, el encarcelamiento, el exilio, la deportación o la muerte (incluido el fallecimiento debido a cualquier causa mientras la persona esté bajo la custodia del Estado) de uno de los padres del niño, o de ambos, o del niño, el Estado Parte proporcionará, cuando se le pida, a los padres, al niño o, si procede, a otro familiar, <u>información básica acerca del paradero del familiar o familiares ausentes</u>, a no ser que ello resultase perjudicial para el bienestar del niño. Los Estados Partes se cerciorarán, además, de que la presentación de tal petición no entrañe por sí misma consecuencias desfavorables para la persona o personas interesadas.

Artículo 10

1. De conformidad con la obligación que incumbe a los Estados Partes a tenor de lo dispuesto en el párrafo 1 del artículo 9, toda solicitud hecha por un niño o por sus padres para entrar en un Estado Parte o para salir de él a <u>los efectos de la reunión de la familia será atendida por los Estados</u> Partes de manera positiva, humanitaria y expeditiva. Los Estados Partes garantizarán, además, que la presentación de tal petición no traerá consecuencias desfavorables para los peticionarios ni para sus familiares.

2. El niño cuyos padres <u>residan en Estados diferentes tendrá derecho a mantener periódicamente</u>, salvo en circunstancias excepcionales, relaciones personales y contactos directos con ambos padres. Con tal fin, y de conformidad con la obligación asumida por los Estados Partes en virtud del párrafo 1 del artículo 9, los Estados Partes respetarán el derecho del niño y de sus padres a salir de cualquier país, incluido el propio, y de entrar en su propio país. El derecho de salir de cualquier país estará sujeto solamente a las restricciones estipuladas por ley y que sean necesarias para proteger la seguridad nacional, el orden público, la salud o la moral pública o los derechos y libertades de otras personas y que estén en consonancia con los demás derechos reconocidos por la presente Convención.

Queda así clara y legalmente establecido que privarlo del padre es ilegal. El hijo necesita a su padre y privarlo de su presencia es una situación grave de *violencia infantil*, ya sea porque el padre huye o rehúye sus responsabilidades o porque la madre o su familia expulsa u obstruye al padre. Un niño en esta situación es, desde el inicio, un niño maltratado, ya que además de privarlo de uno de sus derechos fundamentales queda expuesto —por su mayor desprotección— a otros maltratos y a otras situaciones violentas o de abuso.

6

El padre: ¿sirve para criar hijos?

¡Tanto como la mujer! Es decir, algunos más y otros menos. Pero igual se las tendrán que arreglar, como lo han venido haciendo las mujeres, supieran o no, tuvieran ganas o no. Como hemos insistido, en las últimas décadas el hombre ha estado cada vez más cerca de sus hijos; y, cuando las circunstancias han hecho que se separe de la madre de sus hijos, el hombre por lo general quiere seguir ejerciendo sus funciones de padre. Sin embargo, eso no significa que todos ellos estén dispuestos a hacerse cargo dos o tres días o toda la semana. Muchos quieren seguir en contacto y seguir siendo padres, siempre y cuando eso no signifique mucho más que dar un besito de buenas noches y compartir el almuerzo o la cena (que alguien preparó). Es decir, muchos hombres quieren seguir paternando pero en el esquema antiguo, o sea, que la mujer se encargue de la crianza. Si esto se hace cada vez más difícil dentro del matrimonio, tras la separación resulta imposible. Por eso, hoy el padre separado debe hacerse cargo de sus hijos tanto como la madre, o los verá cada vez menos.

Hay padres que no parecen capaces de hacerse cargo de sus hijos. Pero esta es una conducta aprendida, pues esto ocurre generalmente porque se creyeron eso de que la crianza *es cosa de mujeres*. Por tanto, no se han dispuesto mentalmente para la crianza. Más adelante veremos lo que es el embarazo fisiológico y psicológico, pero digamos de anticipo que hay varones que se *embarazan sólo un poquito*.

Los hombres están tan preparados (y tan poco preparados) para criar a los hijos, como las mujeres. Preguntémosles si no cómo les fue a las damas al enfrentarse solas con la tarea de criar a su primer hijo, si sabían hacer todo, si no cometían errores o tenían dudas y llamaban asustadas al pediatra, a la madre o a alguna vecina. Preguntémosles si acaso no se sentían torpes o con miedo de no hacer las cosas bien.

La famosa tristeza o depresión posparto, si bien puede relacionarse con los cambios del organismo y las modificaciones hormonales también tiene su origen en el "cambio de vida" que significa traer un hijo al mundo y en los temores íntimos a enfrentar una situación para la cual uno no siempre se siente preparado.[1]

EMBARAZO FISIOLÓGICO Y EMBARAZO PSICOLÓGICO

Estamos ante una situación contradictoria y que se presta a confusiones, algunas de ellas nefastas tanto para el niño ya que puede quedar *medio huérfano*, como para la madre (que en ocasiones debe hacerse cargo de todo) y para el padre (que se queda sin su hijo).

Desde el punto de vista fisiológico es la mujer la que se embaraza, aunque nadie duda de que sean ambos los que están esperando un hijo; pero esperar no es algo fisiológico sino psicológico y en este caso también es *aleatorio*. Tanto uno como otro puede decidir no esperar ese hijo que han concebido juntos. El hombre puede mantenerse alejado, desaparecer o alentar el aborto. La mujer puede también interrumpir el embarazo, abandonar al bebé una vez nacido (costumbre tan ancestral como negada), o cubrir las apariencias del cuidado, pero en realidad cediéndolo a terceras personas.

La contradicción viene de que la mujer se embaraza en el vientre y *en la cabeza* y el hombre sólo en la cabeza. Cuando el embarazo es sólo psicológico, no hay hijo en puerta de la misma manera, cuando sólo es fisiológico termina con el hijo en situación de mayor o menor abandono.

Lo mejor es que desde el inicio, ambos Padres introyecten que están embarazados: a su hijo lo *concibieron* juntos y los dos van a ser Padres. Es necesario que ese trabajo mancomunado, que se está produciendo en el vientre materno, donde los aportes (genes) de uno y otro se combinan para que la nueva vida sea posible, tenga su correlato fuera, para que el nuevo ser tenga un desarrollo lo más pleno posible.

---

[1] Depresión posparto: *Yo tuve a mi bebita por cesárea, estaba dolorida y molesta, todo me ponía mal y además de no dormir bien termina con tu coherencia, pero mi marido me apoyó, me acompañó de tal manera que no fue tan grave y logré superar esa depresión, cambió pañales, se levantó de noche, me hacía masajes, me traía la comida etc. ¡Ojalá hubiera más hombres así!* Comentario de una lectora en un artículo sobre la depresión posparto en el sitio de Internet <http://www.infobae.com/contenidos/376051-100934-0-Mitos-y-verdades-la-depresion-post-parto> Revisado el 17/02/2009.

En la mujer, asumir el embarazo (o sea, aceptarlo psicológicamente), suele ser todo un proceso. Desde los primeros temores ante el *atraso*, hasta la confirmación de su gravidez, ella vive una serie de estados anímicos signados por la ansiedad, ya sea que exista esperanza y alegría, o preocupación y angustia. Luego de la confirmación, viene un lapso de tiempo para hacerse a la idea y asumir la nueva situación, sus consecuencias mediatas e inmediatas. Todo esto nos indica que, tras el embarazo fisiológico, viene el psicológico. No siempre es este un proceso rápido o fácil, ni siquiera cuando se trata de hijos deseados o buscados. Traer un hijo al mundo nos enfrenta siempre con situaciones internas (y externas) que afloran y puede costarnos manejarlas adecuadamente. Este mismo proceso se da en los hombres, pero suele ocurrir de manera más abrupta y sorpresiva. Si bien en ocasiones el hombre acompaña a la mujer en todo el recorrido desde los primeros días, muchas veces se ve enfrentado de manera dramática a la inminencia de su paternidad.

Este proceso, que en la mujer tarda varios días y que va decantando de manera diversa con el paso de las horas (en el supuesto de que la *sorprenda* el embarazo), en el hombre suele requerir por parte de su pareja una rápida y correcta respuesta, en sólo unos segundos. Cualquier demora en la buena respuesta, cualquier duda y cualquier gesto o palabra negativa, será usado en su contra en lo inmediato y por el resto de su vida... Si los consultorios médicos o las pruebas de embarazo tuvieran cámara de televisión, veríamos que las primeras reacciones de las mujeres al saber que están embarazadas no siempre son de alegría y satisfacción. Aquí encontramos otro mito, muy frecuente en la filmografía y en la literatura, en donde la mujer anuncia muy feliz al hombre su embarazo y se topa con una reacción negativa por parte de éste, quien además de no saltar de alegría frente a la noticia, manifiesta dudas sobre su presunta paternidad. La realidad es que muchas mujeres sienten también que se les desmorona el mundo (que tenían planeado), al enterarse de su embarazo, de modo que es un mito que esta reacción sea exclusiva del hombre.

Lo cierto es que el proceso de saberse embarazados lleva un tiempo de aceptación, el cual puede durar unas horas o unos días, puede costar más o menos trabajo aceptarlo, y esta aceptación puede ser más espontánea o más decantada. Sin embargo, nada de eso va en demérito de la calidad de los sentimientos filiales, sino que las reacciones simplemente tienen que ver con la historia y la personalidad de cada uno así como con las circunstancias en que se da el hecho y en cómo se desarrolle la historia. Los sentimientos filiales empezarán a esbozarse poco a poco, para eclosionar cuando el bebé nace y es tomado en brazos. De ahí también la importancia de que *al padre no se le niegue ese estrecho contacto con el recién nacido en sus primeras horas y días.*

Digamos que el embarazo psicológico es tan importante en el hombre[2] como en la mujer y fundamental para el hijo esperado, ya que de eso depende la bienvenida que tendrá. El embarazo fisiológico y el psicológico son vitales e igualmente importantes y trascendentes para ambos Padres.

EL MITO DEL *INSTINTO* MATERNO

Los sentimientos de angustia, en las primeras semanas del recién nacido, son normales en la mayoría de las primerizas. Ellas enfrentan la situación mejor o peor, con o sin apoyo del padre. Los hijos suelen sobrevivir esa impericia o torpeza inicial. Para los varones es lo mismo: tendrán miedo, angustia, pero se las arreglan mejor o peor. Les cambiará la vida totalmente o sólo un poco. Deberán renunciar a ciertas cosas, pero descubrirán otras que los compensarán. Así es la vida y así lo han hecho las mujeres en los últimos siglos. Ha llegado la hora de compartir el esfuerzo y el disfrute de la crianza; quienes ya lo están haciendo no quieren saber nada con volver al anterior esquema.

El instinto materno es el mito mejor armado y que más ha sometido a la mujer. Vergüenza deberían tener los científicos y profesionales de haber hablado tan livianamente de algo que sólo tenía por objetivo la comodidad del hombre y reasegurarlo de su eterno temor a ser engañado (de ahí su necesidad universal de encerrar a su mujer en el hogar y mantenerla ocupada con los hijos).

El *instinto* materno queda desenmascarado frente a tantas mujeres que sintieron que se les venía el mundo encima cuando se enteraron de que iban a ser madres. Y aún frente a aquellas que, felices de su próxima maternidad, sufrieron por el temor de no ser capaces de afrontar la responsabilidad de cuidar de su bebé. El instinto materno se hunde irremediablemente por el peso de las dudas que toda madre tiene frente a su bebé. Y queda muerto, sin posibilidad de ser defendido, frente al aborto, cuya generalización y masividad es la estocada final a quienes aún defienden la existencia de dicho instinto desde sus prejuicios de género.[3]

Estos prejuicios no son sólo ocurrencia de algunos hombres machistas; es lo que aún trasmiten muchas madres. Pero también hicieron lo suyo tanto pediatras, como psicólogos y psiquiatras. Esta distribución de tareas y características (*el hombre razona, la mujer siente, el hombre provee, la mujer cuida los hijos*) era y es sostenida aún por muchos profesionales que defienden con vehemencia el mito del instinto materno.

---

[2] Véase el resurgimiento de la *covada* en *Ser padres en el tercer milenio* (Ferrari 1999).

[3] El tema del *instinto materno* lo hemos tratado en nuestros libros ya citados, y en Francia Elizabeth Badinter (1980), es toda una pionera en este tema..

Pero no hay que confundirse: no lo hacen porque lo hayan comprobado científicamente, sino porque se hacen eco de la cultura patriarcal en la que fueron formados. No olvidemos, además, que muchos de estos profesionales, tras recibirse, sólo se actualizaron en algunos aspectos de su carrera y jamás tuvieron la inquietud de cuestionar los conocimientos adquiridos o someterlos a experiencias científicas que demostraran su certeza. A ellos los formaron con esas ideas en sus hogares y/o en sus escuelas y luego repetían lo aprendido (20 o 40 años atrás), en el consultorio, en el gabinete o en el juzgado, sin hacerse cuestionamientos de ningún tipo.

LOS HOMBRES SON INSENSIBLES, INSERVIBLES Y DISTRAÍDOS

Es parcialmente cierto, que muchos hombres muestran esas características, pero no son así por naturaleza, sino porque el deber ser así se los marcaba. Sin embargo, ya estamos lejos (a más de tres generaciones), de los padres que jamás acariciaban o besaban a sus hijos o de aquellos que eran incapaces de poner un pañal o de preparar un biberón. De la década de 1960 a la fecha, los varones han cambiado mucho y recorrido un largo camino. Muchas veces, si el bebé, estando al cuidado del padre, no comía, no se dormía, o éste no sabía vestirlo, era porque a los padres de esa época les faltaba práctica o porque no se preocupaban demasiado en hacerlo bien.

Ha existido demasiada comodidad (*que la madre u otra se encargue*) y poco hábito, pero no hay como la necesidad para generar nuevos hábitos y hacer surgir habilidades desconocidas e insospechadas.

CÓMO CUIDAR A UN HIJO... SE APRENDE

Muchas mujeres cuando quedan embarazadas no tienen ni idea de qué harán con su bebé. Eso de que vienen *preparadas* desde que son niñas, cada vez es menos cierto. Ya no suele ocurrir como antes, que en las grandes familias había hermanitos, primos y otros parientes, a las cuales las niñas mayores ayudaban a criar. Las familias eran grandes y convivían varias generaciones juntas; y cuando a los más jóvenes les tocaba tener sus propios hijos, allí estaban presenten sus abuelas, madre, hermanas mayores y tías para ayudarlas y darles consejos. Siempre se dijo también que a las niñas se les condicionaba mediante el juego, pero ya hace más de una generación que juegan mucho más a las *Barbies* que a las muñecas tradicionales y bebotes. Cuando juegan a las Barbies, no simulan ser madres sino chicas jóvenes, solteras, que se juntan con amigas, salen con muchachos y ejercen alguna profesión. Por tanto, dicha *preparación* para la maternidad ya no existe.

¿Qué hacen hoy las mujeres, sin toda esa impronta de sus abuelas e incluso bisabuelas? Esta nueva realidad existe hace ya varias generaciones. Barbie ya cumplió 50 años y hace ya varias décadas que fueron disminuyendo las grandes familias y se hicieron mayoritarios los hogares nucleares conformados sólo por los Padres y los hijos. Incluso, hoy día van en aumento los hogares en donde la familia, la conforma sólo la madre y el hijo.

Lo que en la actualidad hacen las madres, es aprender como puedan. Desde que quedan embarazadas, muchas madres averiguan todo sobre el desarrollo del feto y sobre los primeros cuidados. En muchos hospitales, centros de salud y lugares de asistencia social y médica, desde hace ya muchos años imparten cursos para las futuras mamás, donde les enseñan cómo alimentarse durante el embarazo, cómo preparar el bolso para la maternidad, cómo relajarse durante el parto y cómo deberán amamantar y hacerse cargo de los primeros cuidados del bebé.

Estos servicios tienen su razón de ser en la enorme necesidad que hay de ellos, en una sociedad que ha roto su tradicional trasmisión de conocimientos intergeneracionales.

Hoy día no sólo existen esos cursos (que en ocasiones, aceptan gustosos a los varones), sino que además hay decenas de revistas y libros (y, en la última década, ingeniosos sitios de Internet), en donde puede verse el *paso a paso* del embarazo, del parto, de las primeras semanas del bebé y todo el desarrollo hasta el fin de la adolescencia. Allí uno encuentra recetas de cocina para las primeras papillas y cursos enteros sobre alimentación saludable, calendario de las vacunas, qué hacer en caso de llanto prolongado, de dolores de oído, gases, temores nocturnos, etcétera.

LOS VARONES TIENEN TODO LO NECESARIO

Si los varones queremos cuidar a nuestros hijos, tenemos todo lo necesario para hacerlo. Salvo glándulas mamarias, los otros órganos los tenemos: brazos para acunarlo, manos para cambiarlo y bañarlo, oídos para escucharlo, voz para tranquilizarlo, pecho para estrecharlo y piernas para correr a pedir ayuda. El conocimiento está, hay dónde buscarlo y los prejuicios ya no se sostienen en pie: lo único que hace falta es la voluntad de ponerse manos a la obra.

Nos equivocaremos, nos sentiremos superados por las circunstancias, nos angustiaremos, tendremos dificultades en el trabajo y no siempre nos alcanzará el tiempo para todo, al igual que les ocurrió a nuestras madres o ex esposas. Aprenderemos a desenvolvernos en el caos y trataremos de tener a mano los teléfonos del pediatra, de nuestra madre, de algún amigo que sepa más que nosotros o de alguna tía, igual que han hecho las mujeres (y han sobrevivido, tanto ellas como sus hijos). Para nadie es imposible, *sólo es cuestión de proponérselo.*

7

Hay hombres que resisten

TRABAJAR A DESTAJO

Hay hombres que toman la responsabilidad paterna como se hacía antes, es decir, trabajando a destajo para darles la *mejor vida* a sus hijos, aunque eso signifique estar todo el día fuera de la casa y llegar agotados como para compartir momentos juntos. Si este sistema no dio buenos resultados durante el matrimonio, menos resultará aun cuando los Padres estén separados. *El tiempo que uno se pierde de estar con los hijos no se recupera jamás.* De hecho, si no estamos con ellos cuando son pequeños, luego lo lamentaremos cuando lleguen a la pubertad, pues entonces serán ellos quienes estén demasiado ocupados para estar con nosotros.

Nuestra principal riqueza son los hijos; por ello debemos esforzarnos para darles lo necesario para que tengan una alimentación sana, una buena educación y actividades de esparcimiento y juego. Sin embargo, nuestro esfuerzo no debe significar restarle tiempo a estar juntos, para ellos no hay mayor diversión que jugar con sus Padres, porque también son sus maestros más trascendentes. Para la formación de los niños pequeños, el juego es lo más importante: allí aprenden a manejar su cuerpo, a relacionarse con el entorno y se interiorizan del funcionamiento de las cosas y de la naturaleza. Como veremos más adelante, nada compensa la ausencia de los Padres en esos momentos y actividades cruciales.

SI NO ESTÁN A SU LADO NO
ESTARÁN EN SU INTERIOR

La mejor formación es la que un Padre le trasmite a sus hijos con su ejemplo diario estando con ellos el tiempo necesario, porque el proceso de aprendizaje inicial, la socialización primaria, los niños la imitan (la aprenden) de su entorno inmediato. Si uno está ausente, por el motivo que sea, el niño imitará lo que tenga cerca (los dibujos animados de la televisión y los videojuegos). El idioma es uno de los elementos más destacados para analizar el proceso de aprendizaje en los niños y tiene que ver con mucho de lo que les está sucediendo interna y externamente. El idioma nos da una clara idea de lo rápido que los niños internalizan todo. Pasan de no hablar ni entender nada, cuando nacen, a entender y hacerse entender al año de vida, para ir luego expresándose mejor mes a mes. Es fantástico. Eso es sólo la "punta del iceberg" de todo el proceso interno de aprendizaje. *El motor de todo este desarrollo intelectual y cognitivo lo constituye el aspecto afectivo.* Un niño sin vínculos o con vínculos inconstantes o problemáticos será un pequeño con problemas de comunicación y de aprendizaje. Los niños con carencias afectivas suelen ser chicos tristes o melancólicos, no muy comunicativos o que se comunican con agresión. El afecto que requieren es el de sus Padres. Puede haber sustitutos, pero nunca será igual, esa diferencia el niño la expresará en su carácter y en su actitud.

Los Padres debemos tener esto en cuenta cuando planeamos nuestra organización del tiempo y de las actividades. Así, cuando sean más grandes los hijos preferirán jugar con otros chicos, pero esto justamente ocurre si se sienten seguros y queridos en casa, pues esto los hace salir a buscar nuevas experiencias.

Nuestro tiempo con ellos es invaluable. El dinero, va y viene, pero la época de crianza, de dar y recibir afecto, se va y no vuelve. Para los hijos ese tiempo vale oro. Es como el cemento y el hierro en el hormigón: mientras más haya (en proporciones apropiadas), más fuerte será la construcción.

Como dijimos antes, los Padres lamentarán luego no haber pasado más tiempo juntos, pero los hijos no sólo lo lamentarán, sino que sufrirán las consecuencias. Seamos claros: la necesidad de hijos que tienen los adultos es relativa, pero la necesidad de Padres que tienen los hijos es vital. A los Padres los hijos les llenan la vida, les dan trabajo y satisfacciones, y está muy bien que así sea. Pero para los hijos sus Padres cumplen funciones que van mucho más allá de sentirse plenos: los necesitan para sobrevivir, para que los protejan hasta que ellos puedan hacerlo solos, para que los socialicen y los integren a la comunidad que los rodea.[1]

---

[1] Así como los niños necesitan a los Padres para sobrevivir, hasta que pueden hacerlo por sus propios medios, es curioso cómo –cuando los hijos crecen y parten– son los Padres los que suelen necesitar a los hijos, y luego ya mayores –en algunos casos– dependen totalmente de ellos, para sobrevivir.

DARLE LO MEJOR ES DARLE
NUESTRO TIEMPO

Hay que trabajar y ganar lo necesario para vivir de la manera más digna posible, pero todos sabemos que muchas veces postergamos a nuestra familia por el trabajo, de manera innecesaria. También sabemos que muchas veces ponemos el trabajo de excusa para no estar en casa, o decimos que lo hacemos *por el futuro de ellos*, para ocultar nuestra adicción al trabajo (y esto vale para hombres y mujeres). Darle lo mejor a nuestros hijos nunca debe significar que no quede tiempo para estar con ellos. Muchas veces, 10 % más de sueldo significa 100 % menos de presencia útil con nuestros hijos. Sabemos que la vida es dura, y más en nuestros países, donde abunda la pobreza y la miseria, y en donde la mayoría de la gente debe trabajar muchas horas por poco dinero, pero tengamos en claro que los hijos nos necesitan más a nosotros que a todos los bienes materiales que podamos brindarles, sin que esto signifique escatimar todo lo que podamos darles para que tengan una vida digna, una alimentación sana y una educación integral.

LA SOCIEDAD Y EL MUNDO
LABORAL

Cierto es que el mundo laboral no está aún preparado para aceptar de buen agrado a varones que se hacen cargo de sus hijos. Pero esto está cambiando de manera acelerada y será cuestión de insistir ante los legisladores con el fin de que el padre también tenga sus "licencias de paternidad" para cuidar y acompañar a sus hijos. Esto ya debería ser un derecho en todos los países del mundo, para que al menos cuatro semanas (¿o meses?), tras el nacimiento, se ocupe el padre en establecer el vínculo con su hijo. *La sociedad no es consciente aún de lo justificado que esto está desde el punto de vista económico*, ya que un hijo cuyos vínculos con ambos padres son fuertes será una persona más sana y útil para su comunidad. Muchos problemas se evitarían o disminuirían su gravedad si hubiera políticas por parte de los organismos públicos (gubernamentales o no) para incentivar los lazos paternos, como de hecho se viene haciendo en algunos países, como en Francia, a partir de que Ségolène Royal fuera Ministra de Asuntos Familiares.

No podemos negar que en algunos países desarrollados, por ejemplo en España, Francia o Estados Unidos, algunos padres llegaron a la crianza compartida por consejo de sus abogados o contadores, como una forma de no pasarles tanto dinero a sus ex esposas por concepto de alimentos. En nuestros países latinoamericanos, donde no existen tantos controles bancarios y en donde buena parte del trabajo y del comercio es en negro, esconder los ingresos y los bienes es mucho más fácil que en Europa, Estados Unidos o Canadá. Si alguno tiene dudas de estas motivaciones económicas de algunos padres, ingrese en los foros de Internet en donde se responden preguntas sobre el divorcio y encontrará que demasiados se acercan a nuestro tema por el lado económico. Sin embargo uno ve, en esos mismos foros, cómo esos padres al poco tiempo de hacerse cargo del cuidado de los hijos, descubrieron las grandezas de la paternidad y luego no les importó que el acuerdo terminara saliéndoles más caro. Vieron que al estar con los hijos no sólo se relacionaban con ellos de una manera absolutamente diferente sino que además les cambió la vida para bien. Perdieron dinero, pero ganaron a sus hijos.

LOS CAMBIOS EN EL HOMBRE

Aprender a hacerles un lugar en nuestra vida cotidiana

Hasta hace poco tiempo, ante el nacimiento de los hijos, a las mujeres les cambiaba la vida un cien por ciento y a los hombres poco o nada. En muchas ocasiones aún sigue siendo así. Las mujeres se hacen cargo totalmente de la crianza y el hombre a lo sumo, debe intensificar o mejorar su situación laboral. Pues bien, hacernos cargo los hombres de parte de la crianza también nos va a cambiar la vida. Debemos organizarnos para cumplir con las tareas, dentro y fuera del hogar, lo que implica hacernos tiempo para acompañar la vida escolar y social de nuestros hijos.

Los varones tenemos que aprender a hacerles un lugar en nuestra vida cotidiana a los hijos. Ya no seremos un referente o un juez de última instancia: seremos quienes los levantan y cambian para ir a la escuela, quien debe hacerse tiempo para hacerles la comida y, previo a eso, haber comprado los insumos necesarios, quien los lleve y los traiga a cumpleaños y actividades varias, aunque en realidad de chofer ya veníamos haciéndolo hace rato. Frente a este abanico de nuevas actividades, un varón (quien tal vez representa a muchos) nos decía que de los hijos deben encargarse sus madres. Nosotros le contestamos: *Ya no hay vuelta atrás, o los padres nos adaptamos a la nueva situación o vamos a llorar a los juzgados para que nos dejen ver una vez al mes a nuestros hijos.*

Aprender a respetarle los tiempos

Si el padre está acostumbrado a tratar con adultos deberá habituarse a los tiempos de los chicos. Uno se enerva cuando un niño tarda en comer o en vestirse, cuando hay que repetirle varias veces una misma cosa o cuando estamos más apurados y a él se le ocurre ir al baño o ensuciarse la ropa que le acabamos de poner.

Con todo esto se han enfrentado las mujeres durante muchos años, y algunas aprendieron a adaptarse a los tiempos de los pequeños y otras intentaron solucionarlo a gritos y bofetadas (y luego no entendieron por qué se volvieron violentos o poco cariñosos).

Una de las cosas que los varones debemos aprender es a respetar los tiempos de nuestros hijos, así como a tener en cuenta sus necesidades: de alimentos, de juegos, de estar abrigados, de tener horas de descanso, etcétera.

Tartas, pizza y papas fritas (compradas)

¿El padre no sabe cocinar? ¡Pues que aprenda! Por cierto, hay mujeres que se casaron o que transitan por la vida sin tener idea de cómo se prepara un plato. A ninguna le quitaron los hijos por ello.

Hay ya tres generaciones de madres que no saben cocinar y sus hijos se han criado a tarta, pizza y comida comprada.[2] ¿De dónde creemos que surge, el gran *boom* de las cadenas de comida rápida en los últimos 50 años? Muchas mujeres no sólo nunca aprendieron a cocinar, sino que se ufanan de no saber hacer nada en la cocina (o en la casa), ya que esto es visto como propio de una mujer moderna y liberada, pero no estamos hablando sólo de jovencitas recién casadas, sino de mujeres de 50, 60 y 80 años de edad. Fueron justamente estas últimas las que rompieron con el molde de sometimiento de sus madres y gestaron los cambios libertarios de finales de la década de 1960. *No entrar a la cocina fue el símbolo* de dejar atrás el rol esclavista tradicional. Si, en este marco, muchas se las arreglaron para alimentar a sus hijos, no vemos por qué los hombres no van a poder. Por otro lado, no debemos olvidar que *la necesidad hace a la función*. Fue justamente darle de comer a sus hijos lo que hizo que muchas madres "modernas" se acercaran a la cocina. Le ha llegado el turno a los hombres, cuyo acercamiento hasta ahora ha sido sólo por gusto, a modo de *hobby* o profesionalmente. Tal vez alguno piense que eso también le quita hombría: ¡pues vaya enterándose de que saber cocinar le da más oportunidades de demostrarla!

---

[2] En cada país variará la denominada comida *chatarra* y las comidas rápidas compradas con que alimentan a los hijos quienes no saben cocinar, no les gusta o no tienen tiempo.

También para esto hay cientos de revistas, libros, programas de TV y sitios en Internet que enseñan a cocinar comidas fáciles, atractivas y nutritivas para los chicos.

El principal cambio consiste en sacarnos de la cabeza que criar a los hijos es *cosa de mujeres*. Como hemos reiterado ellos necesitan tanto a su papá como a su mamá. *Si hay algo en la vida de lo cual no nos arrepentiremos es de haber participado en la crianza de nuestros hijos* (por ellos y por nosotros). *Nunca más...* consideremos que nuestra presencia y acción es secundaria o prescindible.

Algunos continúan pensando que cuidar a sus hijos les quita hombría. Sin embargo, ya nadie se sorprende frente a un varón con un bebé en brazos, o que está paseándolo, cambiándolo o dándole de comer. Todos han podido ver que "no se es menos hombre" por cuidar a sus hijos o ser cariñoso con ellos. Por supuesto, claro, sigue siendo más cómodo que otro se encargue, pero esto es válido para ambos géneros.

Además, las pautas de atracción han cambiado, porque hoy día cuando una mujer ve un hombre con un niño en brazos o brindándole distintos cuidados, no suele pensar que es poco hombre sino, más bien lo ve con buenos ojos e incluso como alguien atractivo.

8

Excusas para
dejar huérfano al hijo

LOS *GUACHOS* EN AMÉRICA LATINA...

Tanto en Chile como en el resto de Latinoamérica, las cifras de hijos nacidos fuera de la unión matrimonial han sido elevadas. Nuestra historia común (tal vez marcada por la despiadada conquista europea) ha forjado tal identidad como escenario implícito del continente. Varios próceres de América son tocados por esta realidad. En Chile el Padre de la Patria, Don Bernardo O'Higgins, fue llamado peyorativamente por sus detractores "el guacho Riquelme". De esta manera, una vez más queda de manifiesto el problema de identidad que suelen cargar los hijos sin padre. En este caso, no sólo se ignoraba quién es el padre, sino que además le dicen *guacho*, se lo recalcan y como si todo esto fuera poco, se llama *Riquelme*, mientras que para los historiadores de la patria, una figura como O´Higgins... por lo que resulta a lo menos *muy interesante que el hijo de nadie terminara siendo el padre de todos, el padre de la patria*.

El *guachismo* implica —para nuestra región— la realidad (y tradición) de procrear hijos fuera del matrimonio, asumiendo además, que éstos serían criados por una sola persona: la madre, quien debía cuidar y proteger al niño mientras durara su infancia, pues traía implícita la realidad de (seguramente) abandono del progenitor. Tal realidad se retrotrae a los inicios de nuestra historia, cuando los *conquistadores* europeos sometían sexualmente a las *hembras*[1] de nuestros pueblos originarios, pero rara vez esto conllevaba a vínculos familiares. De esta manera se dio inicio al proceso de mestizaje de nuestro continente, *una característica esencial del encuentro entre dos mundos, donde ser mestizo implicaba ciertas circunstancias y estratificación social, por lo que era importante para el mestizo sólo saber que su padre es algún europeo, éste o aquél, ninguno en concreto* (Montecino, 1989).

El mestizaje continuó fuera del matrimonio durante la época colonial, a través del *amancebamiento* (relaciones de hecho) y la *barraganía* (concubinato que mantenían los europeos con mujeres indígenas o mestizas en forma paralela a sus matrimonios), según explica la antropóloga Montecino. Esto, por consiguiente, condujo a la existencia de hijos llamados no legítimos y la sobrepresencia de madres en la familia y progenitores ausentes como modelo sociofamiliar imperante.

El modelo de familia centrada en la madre ha sido una realidad de los últimos 200 años en América, realidad respaldada con las prolongadas guerras por tierras y riquezas que favorecieron una constante migración y muerte de los hombres que iban al frente. Las mujeres debían permanecer por largos periodos solas, a cargo de los bienes y familias, de los hijos. Esto, junto a otras causas las fue empoderando de los predios de lo doméstico y fue identificando roles a la vez que (socialmente) les asignaba naturalidad biológica. De la misma forma se concedía a la masculinidad mayor reconocimiento social si los hombres se marchaban al frente en pos de la defensa y resguardo de otra unión fraterna, habitualmente denominada patria o nación. Dejando tras de sí su familia real y abandonando a sus hijos verdaderos por el imaginario de que la patria que él sirvió con honor se haría cargo paternalmente de los hijos de todos, nada les faltaría, y tal vez nada les faltó, sólo un padre de verdad.

LOS MODELOS DE FAMILIA Y PATERNAJE EVOLUCIONAN

Los modelos de familia han ido cambiando por fortuna, dando cabida a otros tipos más funcionales en la época actual y su evolución como parte básica del desarrollo social. Es así que el siglo XX nace marcado por la preocupación de resguardar a la infancia de los males de la explotación

---

[1] Al referirnos en este caso, al concepto de *hembras*, lo hacemos desde el entendido de la ausencia de consideración humana hacia tales mujeres aborígenes, proveyendo satisfacción carnal animal y no una relación necesariamente humana en el sometimiento genital.

y violencia de la época. Se hace presente la idea de que los niños de todo el mundo deben ser protegidos con normas que resguarden su integridad física y psíquica.

Ya en 1924 la Declaración de Ginebra es un primer intento por lograr codificar la protección y bienestar del niño y que es acogido por la Sociedad de las Naciones. Sin embargo, se necesitaron tres décadas para que la Asamblea General de la ONU aprobara la declaración de los derechos del niño, la que sin embargo, no fue más allá de ser una declaración de principios, una recomendación a los Estados Miembros. Ya avanzado el siglo y ante la evidencia de la explotación y el comercio sexual infantil, el 20 de noviembre de 1989 la Asamblea General de la ONU aprobó la Convención Internacional de los Derechos del Niño. Dicha Convención fue suscrita y promulgada como ley de la república por el gobierno chileno en enero de 1990.

Dicha convención, en su artículo 3o., estipula que *el interés superior del niño* es el principio que organismos públicos y privados deben tener siempre presente en su actuar respecto de los niños. Por otra parte, entrega la responsabilidad de la crianza de los hijos a los Padres (ambos), y consagra el derecho de los niños a mantener una relación personal y contacto regular con sus Padres en el caso de estar separado de uno o de ambos, a no ser que esto fuera en contra del *el interés superior del niño*.

AUTORIDAD PATERNA (MATERNA)

Entendemos por *autoridad paterna* el conjunto de derechos y deberes que existen entre los Padres y los hijos y que su comprensión influye directamente sobre el tipo de custodia o crianza futura. Desde este punto de vista entenderemos por *tuición* o *custodia* toda acción o efecto de guardar, cuidar o defender la estabilidad y el desarrollo pleno de los hijos, teniendo derecho a una vida digna y al contacto con ambos Padres.

La *tuición* o *custodia* no es más que el conjunto de derechos y deberes que corresponden a los apoderados (definidos por el orden natural o por la ley), en relación con el cuidado y desarrollo personal de un niño (que nosotros comprendemos y proponemos como *crianza*, por las razones antes expuestas).

Separemos, para su análisis, los deberes y derechos. El deber se explicita en el artículo 222 del Código Civil de Chile en los siguientes términos: La preocupación fundamental de los padres es el interés superior del hijo, para lo cual procurarán su mayor realización espiritual y material posible, y lo guiarán en el ejercicio de los derechos esenciales que emanan de la naturaleza humana de modo conforme a la evolución de sus facultades. El *deber* señalado se basa en la relación progenitor-hijo, o sea, en la filiación y no en el vínculo conyugal de los progenitores. No obstante su aplicación va a depender de si los Padres están juntos o separados. El problema surge cuando éstos están separados, pues es señalado en el *artículo 225 del Código Civil de Chile* que: *Si los padres viven separados, a la madre toca el cuidado personal de los hijos* y agrega más abajo; *...en todo caso, cuando el interés del hijo lo haga indispensable, sea por maltrato, descuido u otra causa calificada, el juez podrá entregar su cuidado personal al otro de los padres. Pero no podrá confiar el cuidado personal al padre o madre que no hubiere contribuido a la mantención del hijo mientras estuvo bajo el cuidado del otro padre, pudiendo hacerlo.*

Este artículo fundamenta posibles procesos de Padrectomía o S. A. P. (Síndrome de Alienación Parental), ya que no garantiza el interés superior del hijo de contar con ambos Padres, supeditando la convivencia o custodia al estado de la conyugalidad y dejando de lado la filiación inicial.

Ni sé si es mío

Ésta, que fue la excusa histórica de los hombres para dejar atrás hijos abandonados, ha caído estrepitosamente de la mano de los estudios de ADN. Sin embargo, aún hay padres que se dejan hacer juicios larguísimos y carísimos con tal de no reconocer a un hijo propio. Legítimamente pueden tener sus dudas pero, ¿no sería más lógico empezar por comprobarlo?

Lo cierto es que estos estudios no son gratuitos, ni están al alcance de todos, pero también es cierto que los casos que hemos conocido han sido de gente que no le hubiera costado hacerse los estudios pertinentes.

También hay muchos que, aunque saben que el pequeño es su hijo, no se hacen cargo y/o se alejan simplemente porque lo que querían era tener relaciones sexuales y no hijos. Se hacen a la idea de que ellos no tienen nada que ver con ese chico, que ya están casados y no quieren arruinar su vida actual (si ella quiso tenerlo, *que ahora se las arregle;* o *fue una trampa* para retenerlo o sacarle dinero). Las excusas pueden ser muchas y variadas, más o menos reales, pero lo cierto es que un hijo suyo crecerá medio huérfano y padecerá todo tipo de necesidades. Hijo tan suyo como los otros que haya tenido o tendrá.

El hombre es quien históricamente abandonaba y que aún sigue teniendo la mala costumbre de dejar hijos abandonados a su suerte, no sólo es maestro de las excusas sino también del silencio. Conocemos muchas madres solas, muchos hijos sin padre, pero difícilmente encontramos a estos padres que han dejado abandonados a sus hijos. No hablan. Jamás hacen referencia a su situación de padre abandónico.[2] Tienen que estar

---

[2] Padre o madre que abandona a sus hijos, que si aparece sólo es para volver a desaparecer.

alcoholizados para que confiesen que, debido a determinadas circunstancias, dejaron a un hijo, o a varios, tras de sí. En el diván del psiquiatra, o tras varias sesiones con el psicólogo esto sale a la luz, pero debe ser de los secretos mejor guardados y *negados* por los varones. Si hicieran una película sobre este tema, en vez de: *El silencio de los inocentes,* debería llamarse *El silencio de los que sienten culpa.*

PADRES QUE LUCHAN POR PATERNAR

Desde hace unos 20 años hemos empezado a escuchar (y cada vez con más fuerza), a muchísimos padres que luchan por ejercer su rol, por estar con sus hijos. Pelea, individual y colectiva, que ha logrado torcer su propia formación y la retrógrada voluntad de jueces, leyes, madres e instituciones gubernamentales que consideraban (y siguen considerando) que *los hijos son objetos de uso exclusivo materno.*

Estos padres se ven envueltos por el absurdo; durante siglos toda la sociedad ha estado lamentando la ausencia y/o distancia paterna y, en pleno siglo XXI hay padres que tienen que hacer huelga de hambre o *encadenarse en las escalinatas de los juzgados para que los dejen paternar.*

En las maternidades y en los juzgados deberían alegrarse cuando ven un padre que quiere estar cerca de sus hijos y dejar ya de verlo como a un extraño, que alguna cosa rara debe esconder.

Pero, por cada uno de estos padres que lucha por estar junto a sus hijos, cuántos hay aún que se ausentan y no aparecen más, o de los que creen que con pasar unos pesos o aparecer de vez en cuando ya es suficiente.

Algunos hombres funcionan al revés de los ganaderos; éstos dicen: *Si la vaca es mía, el ternero también.* Pareciera que algunos hombres dicen: *si la madre no es mía, el hijo tampoco.* Y *por la madre no es mía* se entiende que no le gusta más, que fue una relación casual, que no la considera apropiada para él, que ya está casado o que simplemente tiene otros planes para su vida.

Ya hemos dicho que a la mujer un hijo le suele cambiar la vida y a los hombres no siempre. Cuando uno tiene una imagen de lo que quiere en su vida y surge una situación que la trastoca totalmente, lo encara o lo evade. Esto no sólo le ocurre a los hombres, la masividad del aborto (y dentro de esas cifras los decididos unilateralmente por la mujer), muestra que la equidad de género ha llegado también a la eliminación drástica de "los problemas" que pueden alterar nuestros planes.

¡Usted no conoce al padre!

Muchas mujeres dicen acerca del padre de sus hijos: Es un tipo de lo peor: vago, irresponsable, inconstante... Y si uno no se muestra asustado, agregan: *...borracho y drogadicto.* Y si esto no basta, dan el golpe de gracia con las palabras mágicas: *es golpeador o (abusador sexual).* Es asombrosa la cantidad de madres solas que justifican su situación con esa historia del hombre malo que las dejó o al que debieron abandonar porque se puso intolerable. No hay duda de que hay hombres terribles, pero lo abyecto de las personas está repartido por igual entre un género y otro.

Esto es algo normal en las ex parejas, tanto hombres como mujeres suelen hablar "pestes" del otro: es su forma de exorcizar su fracaso sentimental. *Cuanto más malo hago aparecer al otro, más justificado estoy yo de no estar más con él/ella* (o de estar solo). Muchas veces, cuando conversamos con algunas de estas madres (que no sólo repudian al progenitor, sino que estigmatizan a *todos* los hombres, odiándolos y haciéndolos culpables de todos sus males), pensamos en sus hijos (sean niñas o niños). Es decir, pensamos que son niños que quedaron sin padre y sólo cuentan con una madre enferma de rencor y/o encerrada en su ideologismo *antihombre.* En realidad, esto no tiene tanto que ver con ninguna ideología y sí con muchas experiencias personales difíciles, tal vez, por partir de expectativas poco realistas. Vivencias muy negativas, desencantos reiterados, necesidad de cariño, hombres que no la quisieron, frustraciones en distintos ámbitos, miedo a la soledad y terror a que los hijos también la abandonen.

SEPARAR LAS HISTORIAS

Haber dejado de amar o no querer saber nada de la madre o del padre nunca debe ser la razón para dejar a un hijo propio *medio huérfano.* Es demasiado daño para un niño. Hay que separar las historias, porque de hecho son distintas, si bien tienen un tronco común. Pensemos en nosotros mismos: provenimos de nuestros padres, pero nuestra historia personal es totalmente diferente a la historia de amor o desamor que ellos vivieron. Sin duda que tiene una gran influencia, pero son historias y caminos diferentes. Si la relación de pareja ha terminado (o nunca existió), hay que dejar de lado esa historia y encarar la situación como Padres. Padres de una criatura que cuenta con ellos para sobrevivir y necesita todo lo que puedan darle: lo mínimo es un padre y una madre. Esa es la mejor garantía de que luego tenga todo lo que necesita. Si desde el origen, por rencor o por egoísmo, le negamos al niño la mitad de su ser, ya inicia mal. No sólo no hemos sido capaces de elegir pareja, sino que también fracasaremos como Padres, porque colocamos nuestros intereses individuales por encima de los de nuestro hijo.

LA FAMILIA DE LA MADRE

Cuántas veces la madre rechaza al padre de su hijo por influencia de su propia familia; cuántas veces es esa familia la que obstruye el vínculo y no lo deja acercarse o le llena la cabeza a su hija en contra del padre de su nieto.

No dejan entrar al extraño: *ese no es de la familia.* Abusan de la debilidad y de la dependencia de su hija. Cumplen así con la fantasía de conservarla eternamente en el vientre maternofamiliar. En la actual situación de familia nuclear y mucho más en las monoparentales, en donde todo se centra en los hijos, la partida de éstos suele ser muy traumática para sus Padres. El síndrome del *nido vacío* (crisis cuando los hijos crecen y parten), a veces no es bien resuelto. Uno de esos casos es cuando aprovechan la particular situación de la hija con su embarazo para retenerla en la casa familiar. Esto, lógicamente, exige marginar o expulsar al padre de su nieto, que *ya bastante mal hizo embarazando a la nena.* Este deseo de continuar siendo Padres de niños chicos, cuando éstos ya crecieron, no respeta la necesidad de los hijos de escribir su propia historia ni el derecho inalienable de sus nietos de ser criados con ambos Padres.

Debilidades y fortalezas de la crianza compartida

A continuación nos detendremos a revisar las debilidades y fortalezas extraídas de nuestros estudios de casos de separación conyugal, tanto en Chile como en Argentina.

Estamos firmemente convencidos de que son muchas las fortalezas de este tipo de crianza; sin embargo, es necesario precisar que las debilidades están presentes y señalamos las siguientes que deberán tenerse en cuenta dentro de este proceso.

DEBILIDADES DE LA CRIANZA COMPARTIDA

La crianza compartida no es un lecho de rosas; criar hijos nunca lo es. Es como toda responsabilidad, en la que debe darse todo y en la que los problemas a veces nos superan. Responsabilidades y situaciones para las que uno no suele estar preparado y en las cuales aún los supuestos expertos quedan sin saber qué hacer. Digamos que, en esto de criar hijos, todos improvisamos y todos tratamos de hacer lo mejor posible; y, en general, tan mal no nos sale. Sin duda que, siendo uno solo, es difícil poder con todo y mucho más fácil equivocarse, mientras que entre dos la carga se aligera.

Pero la crianza compartida tiene también sus dificultades particulares propias. Si uno no está dispuesto a superarlas y a poner todo su esfuerzo en neutralizarlas, puede transformarse en una tortura para cada una de las partes implicadas. Es como el matrimonio: hay que poner mucho amor (en este caso hacia los hijos), mucha paciencia y mucha energía para salir adelante. Veamos en detalle de qué estamos hablando.

Hay que seguir viendo y tratando al ex

La relación con el otro(a)

No depender de nadie es una profunda ambición del ser humano y más aún si esa dependencia significa obediencia. Si hay algo que ejemplifica y resume al anterior sistema patriarcal es que *la mujer pasaba de depender de su padre, al marido y luego, a los hijos varones.*

Aunque la dependencia no sea obediencia, el solo hecho de tener que estar consultando, o considerando las situaciones u opiniones *del otro*, puede no resultar atractivo para muchas mujeres, y más cuando ese otro es su ex marido o ex novio, a quien ya no soporta, quien resultó ser un fiasco como pareja, con quien la convivencia era una eterna pelea o (peor aún), quien le fue infiel y se fue con otra.

Otro tanto ocurre para los hombres, que deben estar arreglando detalles, compartiendo decisiones y dándole dinero a esa persona a quien no quieren más, les arruinó la vida o los engañó con su mejor amigo.

Con un agregado: hay toda una cultura de que la mujer, en el tema *hijos, sabe* por el solo hecho de ser mujer y, aunque sea la más aguerrida feminista, les encanta seguir pensando que nadie puede discutir con una madre qué es lo mejor para sus hijos. El *yo conozco mejor que nadie a mi hijo*, lo han sufrido maridos, hijos, maestros, pediatras e incluso jueces, tratando de convencer a alguna madre de algo que tiene ya bien introyectado y que es francamente inconveniente o nocivo para el hijo. Así pues, no siempre, es fácil hacerle entender otro punto de vista a quienes, como madres, se sienten omnipresentes, omnisapientes y omnipotentes,[1] aunque no tengan idea de qué hacer y luego en soledad rompan en llanto.

La hipocresía del viejo esquema (pero que aún persiste en ambos géneros), es darle todo el poder a la mujer con los hijos, pero ningunearla en todos los otros ámbitos.

Los hijos como excusa y como escudo

Tanto hombres como mujeres solemos poner a nuestros hijos de excusa para hacer algo que en realidad nos gusta o nos viene bien: *Es mejor que no*

---

[1] Omnipresentes, pues siempre tienen que estar con el hijo; omnisapientes, porque poseen el cúmulo de conocimientos sobre la crianza; y omnipotentes, porque todo lo pueden solas. Véase desarrollado este tema en *Ser padres en el tercer milenio* (Ferrari, 1999).

vea al padre porque lo va a decepcionar; yo voy al mar por los chicos, a ellos les hace mucha falta; me compré este Jeep 4x4, así puedo llevar a los chicos cómodos y seguros a la escuela; a ellos les gusta que yo ande bien vestida; a mi hijo le encanta ir a los partidos de futbol los domingos; te lo llevo temprano, así se acuesta porque está muy cansado, etcétera. (Ferrari, 1999).

No pensar en los chicos sino en uno mismo[2] suele estar en la base de la mayoría de las rencillas que sobrevendrán. Esas formas solapadas de egoísmo, usar a los hijos para obtener algo; ponerlos de escudo para que los otros no nos molesten o para obtener algún beneficio extra, es lo que suele haber tras la mayoría de las supuestas peleas *por los niños.*

Lógico, la otra parte, cuando descubre o nota esos comportamientos o situaciones falaces reacciona y el clima se enrarece.

Atados de por vida

Quizá se pregunte: Pero, ¿por qué voy a quedar atada(o) de por vida a este(a) energúmeno? La respuesta es simple: porque tuvo un hijo con él/ella, y lo mejor para su hijo es estar y ser criado por ambos Padres. Tampoco va a ser de por vida, a lo sumo serán unos 18 o 20 años, hasta que su hijo salga de la adolescencia, siendo un excelente muchacho independiente y feliz de haber tenido todo lo que le hacía falta para crecer. Luego sólo se verán en el casamiento del *bebé* y/o en los cumpleaños de los nietos, y se mirarán de lejos con una sonrisa de satisfacción, diciendo para sus adentros: *Fuimos capaces de hacerlo bien.*

Pero tener que seguir tratando al *energúmeno,* no va a ser tan grave. Seguramente que como Padre es mejor que como cónyuge, sólo es cuestión de entender que en esto de la crianza el otro progenitor es nuestro mejor aliado, es quien mejor puede ayudarnos, quien siempre estará a nuestro lado, por un hecho muy simple: se trata de su hijo y, al igual que uno, quiere lo mejor para el chico. Cómo establecer la nueva relación de Padres, lo veremos más adelante.

Problemas de carácter

A todo lo que hemos mencionado hay que sumarle las dificultades propias del carácter de cada uno y de nuestra capacidad, a veces muy limitada, de relacionarnos armoniosamente con otros. Los chisporroteos por mal carácter pueden tornarse insoportables. Hay, quienes dicen: *Yo*

---

[2] *Seguir viéndose* puede ser, también, el verdadero motivo para pedir o aceptar la crianza compartida, cuando uno de los dos ha quedado demasiado ligado afectivamente al otro. Estos casos, en que los fines difieren de lo expresado, no suelen terminar bien.

soy así, que me aguante y si no que se vaya. Esto podemos decirlo con un novio, pero no con el padre o madre de nuestros hijos, ya que serán éstos los que sufrirán la ausencia que provocamos. Si nuestro carácter se ha vuelto irascible, debemos abocarnos al tema. Hay terapeutas que pueden ayudar, de modo que nos convirtamos en un elemento positivo de la relación familiar. Si uno nota que siempre está en el centro de las disputas, que en los distintos ámbitos en que se mueve genera rechazo, si las relaciones con familiares y amigos van de mal en peor, conviene detenernos a ver qué nos está pasando y, de ser necesario, recurrir a ayuda profesional.

Si ponemos nuestra mejor voluntad, esos *cortocircuitos* pueden superarse. Porque, además, si bien ya no son pareja o ya no se quieren como tal, tienen como ventaja que se conocen y saben qué es lo que al otro le agrada, lo enoja o lo calma. *Para que nuestros hijos disfruten de la paz necesaria* para crecer felices, debemos usar ese conocimiento del otro con el fin de que las cosas funcionen lo mejor posible, con objeto de no superar los límites de la paciencia o del humor del otro.

Si es necesario, reducir la relación al mínimo

Cierto es que, muchas veces, la razón o la congruencia se ausentan. Haga lo que haga al otro le caerá mal. En este caso, conviene buscar la causa que genera dicho encono. Si ésta no aparece o no tiene solución, hay que poner distancia, esto es limitarse a buscar y llevar al hijo, reduciendo la relación con el padre o madre a un simple *buen día* y *hasta luego*, hasta que recobre su cordura. Lo mismo cuando notemos que somos nosotros los alterados o poco coherentes. Si los desencuentros no son un episodio aislado sino una constante, convendría concurrir a un terapeuta que les ayude a superar dicha situación.

Continuar viéndose todos los días, cuando el niño es pequeño, o todas las semanas cuando es más grande, no es fácil para una pareja que acaba de separarse. *Tener que ver a mi ex es una tortura*, nos decía una madre que pasaba por esa situación. En estas circunstancias conviene armarse de paciencia, tener muy en claro y presente el objetivo superior que es *lo mejor para el hijo* y hacer algo para *desmalezar* los espíritus. La respuesta que dimos a esta joven madre fue: *La relación la manejan ustedes y si les hace mal verse, pues no se vean. Reduzcan al mínimo el contacto. Acuerden la hora en que él pasará a buscar al chico; que el niño salga y se vaya con el papá. Ni siquiera hay necesidad de hablar, más allá de saludarse y despedirse cortésmente. Muchas de las cosas que deben necesariamente comunicarse, las puede enviar escritas en un papel o pueden hacer como las maes-*

tras en la escuela, con un cuaderno de comunicaciones, donde no están permitidas las agresiones, ni las ironías, sólo se escribe escuetamente lo necesario para las actividades y requerimientos del niño. Esto puede parecer un poco ridículo, pero es muy práctico, evita malos entendidos y, sobre todo, es mucho mejor que andar a los gritos cada vez que pasan a buscar al niño.

Las nuevas tecnologías de comunicación hacen todo esto mucho más fácil: avisar si ha surgido algún inconveniente, averiguar si están cerca o lejos, recordar traer o llevar algún elemento, estar en contacto permanente con los hijos y en todo lo relacionado a ellos hoy es sumamente fácil y al alcance de todos.

Los hijos tienen dos casas

Que cada progenitor viva en una casa y el hijo vaya de una a otra alternativamente, puede traer aparejado ciertos inconvenientes, los cuales sin embargo son superables. Incluso, esta situación puede transformarse en fuente de riqueza en cuanto a experiencias y diversidad, lo cual siempre viene bien a la hora de formar a alguien.

Hay personas que, por cuestiones de trabajo, de estudio o para recreación, tienen dos o más domicilios. Unos días a la semana pernoctan en uno y otros en otro, por periodos más o menos prolongados. Tiene sus incomodidades, pues hay que andar con una bolsa de nuestras pertenencias, y siempre hay algo que necesitamos que está en la otra casa. Sin embargo, cuando no queda otra opción o cuando la situación lo reclama, tener otro lado dónde vivir es una solución (y no un problema). Si nos organizamos bien, los inconvenientes se minimizan.

Las opciones tienen que ver con la situación de cada familia: hay quienes prefieren que los chicos queden en una casa y que sean los padres los que se muden (crianza compartida del nido), pero a muy pocos le viene bien este arreglo ya que se necesitan tres casas. Cuando cada Padre tiene su vivienda y los hijos viven un tiempo con cada uno (crianza compartida de alternancias), hay que prever todo lo que van a necesitar en esos días, ya sea para la escuela, para sus actividades sociales o deportivas y, por supuesto, todo lo que hace a la vestimenta, a fin de no tener que estar volviendo a buscar lo que falta o cambiando de planes debido a que no se tiene lo necesario. Muchas veces conviene (siempre y cuando se pueda), tener doble juego de pijamas, dos cepillos de dientes y ropa interior o de abrigo para poder tener en cada casa.

Pronto los chicos aprenden a sacar provecho de las cosas positivas de uno y otro lugar y a minimizar las negativas. Si las cosas están bien entre los Padres, en cuanto a cooperar para que todo vaya lo mejor posible, los hijos no sufren esta situación, más bien los divierte (por su diversidad) y aprenden a sacarle el mejor provecho.

Por supuesto, hay que tratar de que en ambos lugares los niños se encuentren en *su casa* y que en uno y otro hogar sientan que pueden ser ellos mismos, que encuentren su identidad y que sepan que pueden tener la *intimidad propia de un hogar*, que se sientan en terreno propio, protegidos y contenidos.

Sentirse a gusto tiene que ver más con el espíritu reinante que con las comodidades que ofrezca la vivienda. En nuestros países latinoamericanos hablar de dos casas es una ilusión teórica, ya que la mayoría de nuestras familias no alcanza a tener ni una, que pueda denominarse así. Muchos viven en situaciones de miseria o de pobreza y apenas si tienen una habitación para todos, o viven hacinados con otros familiares. Pero *si el padre o la madre le hacen un lugar en su vida, así sea una casa con las mínimas comodidades, el niño se sentirá feliz.*

Si a la pobreza, a la carencia de la mayoría de las cosas con las que nos bombardea la sociedad de consumo, le agregamos la carencia de padre, la situación de minusvalía y desamparo se hace insoportable.

Sean los Padres ricos o pobres, de clase media o marginales, agricultores o citadinos, académicos o trabajadores manuales, sus hijos los necesitan por igual. Tanto unos como otros deberán acomodarse a la situación, pero lo importante es que estén cerca y mantengan sus vínculos intactos, o los mejoren si las condiciones de vida empeoran.

Como ya dijimos, hay que hacer lo posible para minimizar los efectos negativos de la separación: si uno de los dos se va a vivir al otro extremo del país, no puede pretender que el otro progenitor, o el juez, le resuelva el problema que acaba de crear. En esto hay situaciones laborales u otras, impostergables o ineludibles, pero también muchas veces somos nosotros los que generamos el inconveniente, poniendo como excusa situaciones externas que podrían solucionarse de otra manera, si privilegiáramos el interés de los niños.

Los hijos pronto aprenden las características de cada casa, y cómo en una pueden hacer o tener cosas que en la otra no. Aprenden a relativizar y a apreciar lo diferente. Esto enriquece la formación del niño ya que le enseña a adaptarse, a sacar lo positivo de cada situación, a soportar lo negativo, a ver todo desde distintos puntos de vista, a verse a sí mismo en distintas situaciones, a socializar con mayor cantidad de gente, etcétera.

Los problemas del va y viene

Otro problema suele ser el ir y venir de una casa a la otra y los traslados a la escuela o a las diversas actividades que los hijos desarrollan.

Si ambos Padres poseen vehículo y/o viven cerca uno del otro, los problemas son casi nulos, pero si dependen del transporte público y viven en las antípodas de alguna gran ciudad, todo se complica. Por eso, decimos que esto hay que pensarlo y preverlo, es decir, en la medida de lo posible no irse a vivir demasiado lejos o donde no haya al alcance transportes directos.

Hay que ser prácticos al momento de tomar las decisiones relacionadas con las actividades del niño y de los Padres; es necesario pensar en que habrá que llevarlo o pasarlo a buscar a un sitio y dejarlo en otro. Los Padres deberán armarse de paciencia y no echarle la culpa al niño de las vueltas que uno tiene que dar para buscarlo. Por otro lado, esto de andar para arriba y para abajo llevando y trayendo niños no es un *privilegio* de los separados, sino que también se da en el matrimonio.

El bolso

Un detalle de la crianza compartida es el tema de los accesorios que el niño necesita para su vida cotidiana, desde la ropa hasta los juguetes, pasando por los útiles escolares y remedios. Todo esto deberá tenerlo el niño cuando lo necesita. Según las situaciones y de lo que se trate, podrá tener dos juegos de alguna cosa (uno en cada casa) y el resto de pertenencias irá y volverá en un bolso junto con el chico. Debemos tener cuidado porque ese bolso o mochila suele ser el símbolo de la situación particular que vive ese niño, por lo cual es conveniente que sean los padres los que se encarguen de armarlo y trasladarlo, y no el chico. Otro detalle importante es que el famoso bolso no haga patente su situación frente a los demás (en la escuela, por ejemplo).

Lo principal es que no sientan que ellos son el bolso, es decir, como un objeto que se lo pasan de uno a otro Padre cuando a ellos les viene bien, o que lo dejan en un rincón o en casa de alguien si ellos tienen otras cosas que hacer, o que se pelean para que se lo lleve[3] porque tienen otros compromisos.

También es importante no hacer un drama si es que faltan pequeñas cosas, o deberían estar y no están. No culpar a los hijos por las cosas que se olvidaron en la otra casa y mucho menos por las que olvidó el otro progenitor. Es necesario tomar esto con sabiduría, paciencia y sobre todo buen humor.

---

[3] Tras largas peleas por la tuición, muchas veces viene la pelea por *dejárselo* al otro (así *yo sigo haciendo mi vida*). Para algunas personas es otra forma de venganza: si antes se trataba de privarlo del hijo, ahora se trata de llevárselo seguido para impedirle que tenga su propia vida. La ex pareja escucha que él o ella tiene preparado un lindo fin de semana y ¡zas!, inventa algo por lo cual le dejarán al hijo, aunque ese fin de semana no le tocaba.

¿Cómo superar estos inconvenientes?

Poner las cosas en claro, desde el principio y en cuanto ocurran, ayuda a superar estos inconvenientes. Fijar límites precisos y racionales, organizar los horarios y definir las idas y venidas, también ayuda a que todo salga mejor. Debemos ser flexibles y no someter al otro ni a los chicos a nuestra comodidad; ser previsibles y no hacer cosas que descoloquen al otro es imprescindible para no generar conflictos. Cuando surge un inconveniente que altera los planes es necesario avisar al otro, con antelación si es posible, pero tratar de no salirse de lo planeado ni de romper los compromisos asumidos. Uno no puede pretender que el mundo gire alrededor nuestro, ni uno andar girando alrededor de los otros.

La base del éxito es el respeto: a nuestro hijo y al otro progenitor. Respeto que tal vez, a nuestro modo de ver, nuestra ex pareja no merezca, pero que sí lo merece nuestro hijo y es lo más conveniente a la relación. Conviene recordar el viejo dicho de *no hacer lo que no nos gusta que nos hagan*; respetar los tiempos y espacios ajenos es la mejor receta para que todos se lleven bien.

Es importante también que establezcan métodos de resolver los conflictos, las diferencias de opinión y las diferencias de modo de vida. No sólo que sean capaces de ceder uno y otro de manera alternativa, de tratar de entender las razones del otro y, como suele decirse *ponerse en su lugar*, sino también ver por qué medios y de qué manera pueden conversar mejor las cosas que deban aclarar u organizar.

La pareja de Padres requiere mucha diplomacia y templanza. Saber hablar y saber callarse en el momento oportuno. Y esto se aprende, es un proceso que al principio no se hará muy bien pero luego —si hay voluntad— cada vez se hará mejor. Es parte de la crianza y de la vida.

Había un amigo que tenía un método, que le daba muy buen resultado. Atento a que no es conveniente estar sujetándose siempre, guardándose lo que uno piensa y siente, de vez en cuando, cuando su ex mujer se iba y sin que ella ni su hijo lo escucharan, él con un enorme suspiro decía: *menos mal que me separé* y repetía esta frase varias veces, con algunas variantes, *¡qué bien que hice!*, *¡cómo me hubiera arruinado la vida si hubiera seguido contigo!* Y en algunos casos en que la necesidad de la sonrisa y el trato amable habría sido mucho más forzado de lo habitual, directamente, tras cerrar la puerta y esperar que se hubiera alejado, descargaba gritando a los cuatro vientos toda una andanada de insultos, en donde dejaba que afloraran todos sus sentimientos adversos hacia su ex. Y luego de eso, se quedaba aliviado, tranquilo y preparado para otro encuentro "diplomático" con su ex cuando fuera necesario.

Los nuevos amores

El nuevo novio

Parejas de Padres que habían podido llegar a acuerdos, estableciendo un vínculo respetuoso y cordial, a veces estallan cuando uno de los dos comienza una nueva relación amorosa o *rehace su vida*. Esta sí que es una dificultad.

Sólo hay algo que supera la porquería que es mi ex marido, lo re-porquería que es su nueva novia. Esto nos decía una vez una desconocida quien, en pocos minutos, nos contó toda su vida de novia, casada y separada. No nos detendremos demasiado en este punto porque es extremadamente conocido que cuando alguien conoce a la nueva pareja de su ex cónyuge, ésta se convierte en poco menos que un monstruo.

También sucede que, con una nueva pareja, las circunstancias cambian y los chicos comienzan a vivir situaciones inapropiadas, ya sea por descuido, cambio en las prioridades de sus padres, ingerencia del nuevo personaje en asuntos que no le competen, etcétera.

Lo cierto es que no conviene mezclar a la nueva pareja en las decisiones que sólo corresponden a los padres, ni debemos confundir los roles, en suma es imposible remplazar lo irremplazable.

No mezclemos nuestra vida sentimental con nuestros hijos. Mucho menos si en vez de vida sentimental estamos hablando de meros entretenimientos de adultos. El mundo es grande, mantengamos esas relaciones fuera de casa.

Si bien, nuestros hijos no nos armarían escándalos (como si fuera nuestro cónyuge), si llevamos a un nuevo amor a la casa, eso no significa que no sientan nada. Ellos pueden sentir celos, sentirse desplazados, tener miedo ante esa persona desconocida, o sentirse extrañados ante la familiaridad con que ese ser se mueve dentro de *su* casa. Muchas veces nos quejamos de lo que la televisión muestra y sin embargo, a menudo exponemos a nuestros hijos a experiencias que tienen verdaderas repercusiones negativas, no por el hecho que se muestren escenas de sexo explícito, sino porque las personas implicadas son su madre o su padre. En principio (y a pesar de los cambios de las últimas décadas), para los hijos los Padres somos seres asexuados, por lo cual enfrentar que la realidad es distinta no siempre es fácil para ellos. Un simple coqueteo de su madre con su nuevo novio, o tomarse de la mano con él, pone a los chicos frente a situaciones que posiblemente no sepan manejar. Los confunde y —como su madre o padre están ocupados en su noviazgo—, no tienen con quién aclarar qué está sucediendo. A la vez esta situación les hace temer por su futuro ya que ese ser —a quien creían disponible sólo para ellos— ahora tendrán que compartirlo.

Habitualmente, cuando a los cuatro o cinco años de edad un niño dice que es novio de su mamá y que se casará con ella, se le explica que la mamá ya está casada con papá y que él tendrá que buscar otra novia llegado el momento. El niño puede comprender esto. Sin embargo, cuando los Padres están separados la explicación se hace más abstracta y su aceptación a este hecho es más complicada. Tal apego a uno de sus Padres tiene sus matices según el género del hijo y del progenitor, pero de todos modos es muy normal que los hijos de padres separados se sientan dueños exclusivos de sus Padres y que no les cause alegría tener que compartirlos, ni tener que estar compartiendo su hogar y su intimidad.

Es primordial mantener fuera de casa todo aquello que tenga que ver con nuestro proceso de búsqueda de una nueva pareja. No podemos someter a nuestros hijos a presentarles a un *amigovio*[4] cada 15 días o cada dos meses, y menos aún si tenemos intimidad, pues para el niño esto no sólo implica lo que sucede en la habitación, sino todas las circunstancias relacionadas.

Pero, además de no mezclar nuestra vida de adulto en busca de cariño o *diversión* (¿intimidad sexual?), con la de nuestros hijos, tampoco conviene confundir los roles. Ellos ya tienen sus progenitores y no necesitan más. Un padre o una madre no se remplazan como si se tratara de un asunto trivial, y mucho menos de un día para el otro, como a veces se pretende que acepten al recién llegado (como si siempre hubiera estado allí).

Los niños deben respeto a esa persona como a cualquier adulto y tal vez un poco más por ser una persona allegada a su padre o madre, pero nada más. No debemos pretender que a la semana los hijos quieran a la nueva pareja de su Padre como si fuera un miembro más de la familia, entre otras cosas porque hay serias posibilidades de que, de un momento a otro, la relación termine. Es posible que los niños ya sean conscientes de eso, por experiencias recientes.

Tampoco se trata de que el otro haga las cosas que debería hacer o que hace el ex cónyuge, el Padre presente debe hacerse cargo de sus hijos y no aprovechar a la nueva pareja para delegar responsabilidades con los niños propios.

Hay mujeres que buscan un *hombre* para compartir momentos (o su vida) y lo que encuentran es un *padre* ansioso de hallar a alguien que se encargue de sus hijos: que los asee y les cocine (y, de ser posible, les cuente un cuento antes de irse a dormir...).

Lo mismo ocurre con algunos varones que buscan una mujer, una compañera y cuando menos lo esperan ya están llevando a la escuela ni-

---

[4] Amigovios: relaciones sin la formalidad ni las expectativas de un novio, pero que tienen intimidad sexual, duran en el tiempo y suelen tener exclusividad.

ños ajenos, ayudándoles en los deberes, o pagando cuentas de supermercado de una familia numerosa. Hay quienes disfrutarán de esta repentina vida familiar, pero otros huirán despavoridos.

Así pues, tanto en hombres como en mujeres puede ocurrir que, más que busquen una pareja, buscan alguien que se haga cargo de ellos y de sus problemas.

Si me quiere a mí, va a tener que querer a mis hijos porque son parte mía, decía una joven madre de dos hijos, que a la segunda cita con un señor ya empezaba a ir con ellos. En su constante búsqueda le sucedió de todo: vivió amores apasionados, desilusiones escandalosas, relación con abusadores (por suerte no de niños) y con todo tipo de hombres que nunca la tomaron en serio. Junto a ella, viviendo esas extrañas experiencias, estaban sus dos pequeños hijos siempre presentes.

Más que una cuestión moral se trata de darle a cada cosa su lugar: los hijos no tienen nada que ver con la vida sexual de sus Padres ni tampoco con sus vaivenes románticos.

Los chicos también se sienten confundidos. La casa es *el nido, la guarida, la cueva*; por ello no entienden qué hace ese extraño adentro de su hogar y actuando como si fuera un miembro más de su familia. Manejemos estas situaciones con cuidado, *pongámonos en el lugar de los chicos.* Cuando entablemos una relación que consideremos consolidada, podremos acercar a esa pareja a nuestros hijos, y deberemos hacerlo poco a poco, charlando de antemano con ellos, tranquilizándolos y dándoles tiempo a que acepten las nuevas circunstancias. No cometamos el error de pretender remplazar a su otro progenitor, ni que la nueva pareja se haga cargo de funciones que le son ajenas.

El tiempo dirá lo que sucederá. Posiblemente nuestros hijos establecerán una hermosa relación con esa persona, que incluso puede sobrevivir a la relación entre los adultos; pero hay que darles tiempo y hacer las cosas bien.

Los celos de la nueva pareja

Claro, ya sales corriendo. Te llama tu ex y tú no escuchas nada más. Yo te pido algo y vives poniendo excusas.

A veces a nuestras nuevas parejas (sobre todo si no tienen hijos) les cuesta entender la urgencia que tenemos los Padres por estar cerca de nuestros hijos, sea que estén viviendo un inconveniente, una herida o un par de grados de fiebre. En esto opera cierto sentimiento de culpa que no hemos podido superar, debido a que sentimos que los hemos metido en esta extraña e incómoda situación y, además, porque nos sentimos mal por no estar con ellos de manera permanente.

Conviene charlar con la nueva pareja para que esté enterada de nuestros sentimientos. El apuro y la preocupación por nuestros hijos no desaparecerá por el hecho de tener una nueva relación amorosa.

Mis hijos y la nueva pareja de mi ex cónyuge

La nueva pareja del ex cónyuge suele ser motivo de preocupación, más allá de que nos parezca genial que la haya encontrado. Lo que ocurre de manera más o menos inconsciente, es que muchas personas nunca terminan de sentirse bien frente a la nueva pareja. Además, siempre existe alguna preocupación: si tratará bien a los chicos, si no los hará sufrir o si los menospreciará o golpeará. Si el niño nos tranquiliza diciéndonos que lo trata muy bien, el temor por su bienestar se transforma en preocupación por perder o compartir su cariño, o incluso porque el niño termine pensando que *el malo de la película* fue uno.

Todo esto está en juego y debemos estar atentos. Tratemos de ser objetivos: nadie nos va a quitar el cariño de nuestro hijo, pues como lo hemos dicho un padre o una madre no es fácil de remplazar. Tratemos de no alterar las situaciones: no veamos fantasmas por todos lados. Será muy útil mantener un diálogo franco con nuestra ex pareja, sin entrometernos en lo que ya no nos debe importar. Si estamos un poco paranoicos y vemos peligro en todos lados, convendrá iniciar una terapia individual; de lo contrario podemos hacer y hacernos mucho daño.

Por otro lado, a nadie le agrada llegar a la casa donde viven nuestros hijos y encontrar a un extraño que comparte con ellos el tiempo que nosotros no estamos. Si nunca es fácil la relación entre la ex pareja y la nueva, cuando hay hijos de por medio esto suele tornarse un poco más delicado. Somos seres civilizados, adultos y modernos, pero hay que multiplicar los cuidados para *no generar inútilmente situaciones que enturbien la relación* con nuestro ex cónyuge, con el claro objeto de no dificultar la situación de nuestros hijos. Mantener ciertos límites mutuamente ayudará a que todo marche mejor, sin confusiones o intromisiones que puedan ser fuente de conflictos gratuitos. Al menos en los primeros meses o años, hay que cuidar muy bien estos detalles; luego, superados los miedos y sintiéndose todos parte de la gran familia de los niños será posible que incluso pasen las navidades y los cumpleaños todos juntos, divirtiéndose sanamente.

Tomar decisiones con opiniones diferentes

Tener dos puntos de vista diferentes frente al mismo problema también sucede dentro de los matrimonios y no siempre se resuelve de manera correcta, sin embargo, hay otras formas de compensar y es posible que la relación continúe como si nada hubiera pasado. Pero cuando la relación de la pareja ya no existe, estas disputas −por opiniones diferentes− pueden tornarse peligrosas y ser fuente de conflictos mayores.

Es lógico e incluso deseable que haya opiniones diferentes sobre cómo encarar o resolver una situación, pero si los Padres han logrado establecer un vínculo adulto, en el que se respetan, podrán encarar una discusión en la que −tal vez− los argumentos de uno convenzan al otro, o que lleguen a una solución que se halle a mitad de camino entre ambas posiciones iniciales, o que uno ceda a favor del otro; esto no es malo salvo si cede siempre el mismo. Si bien no todas las discusiones se tienen que ganar, tampoco es bueno perder siempre. Las buenas discusiones son aquellas que no son inútiles, que sirven para aclarar situaciones, modificar realidades o prevenir problemas. Cada uno expone su punto de vista y lo enriquece con las opiniones del otro y juntos llegan a una conclusión que será la mejor para los hijos.

No compartimos ese viejo principio de no discutir delante de los hijos, pues creemos que si se hace con respeto, argumentando razones cada uno y esforzándose en llegar a una solución que deje contentos a ambos, ello constituye una excelente escuela para los hijos, quienes aprenderán a resolver las diferencias con los otros sin violencia, usando la razón, atendiendo los argumentos de la otra parte y priorizando los sentimientos e intereses de todos. Por supuesto habrá temas que no convendrá hablar delante de los chicos, pero lo inconveniente es el tema y no el *debate*.

Tal como lo presentamos parece fácil. No es que desconozcamos las dificultades de la comunicación humana (y más aún en la particular situación de las parejas separadas), pero creemos que es correcto aspirar a ellos, aunque inicialmente nos parezcan una utopía: *aunque la utopía siempre lo sea, más vale encaminarse hacia ella que en su contra* (Ferrari, Oward, 2009).

Siempre que los Padres discuten sobre lo mejor para sus hijos, debe ser la discusión de *dos buenas personas* que ponen lo mejor de sí mismas para llegar a una solución adecuada. Si tienen cuentas pendientes, que las arreglen otro día. Es lo más práctico y conveniente para todos, en particular para los chicos, que a diferencia de los adultos no disfrutan con las discusiones de parejas desavenidas, sino que las sufren.

Económicamente suele resultar más caro

Divorciarse sale caro. Y la crianza compartida definitivamente es más cara que la exclusiva: comodidades en ambas casas (cuando las hay), transporte, idas y venidas, ropa, juguetes y otros elementos que deberán multiplicarse por dos, etc. Sin embargo, ya dijimos que hay algunos padres que llegan a la crianza compartida por consejo de sus abogados a fin de usar esto como excusa para dejar de pasar dinero a su ex pareja. Lo cierto es que si el hijo está la mitad del tiempo con papá y la otra mitad con mamá, cada uno se hace cargo de los gastos que le corresponden a su tiempo de crianza. Pero, más allá de lo que diga la ley en cada país, debe ser muy triste para un hijo saber que el padre pidió compartir la crianza porque quería ahorrarse unos pesos o que su madre niega la crianza compartida para no perder ni un centavo[5] de la mensualidad que el padre le pasa.

Una vez un padre (cuya mujer tenía la crianza exclusiva) nos decía: Yo no protesto por el dinero, de todos modos lo que le doy a mi ex es lo mismo que me costaría tener una empleada doméstica, *casa o cama adentro*, en caso de que los tuviera yo. Para este padre la madre viene siendo un servicio doméstico especializado (no por los conocimientos sino por el vínculo), lo cual no es más que una extensión del viejo concepto que algunos hombres tenían de sus esposas: empleadas *todo servicio*, a bajo costo.

Si bien puede salir más cara la crianza compartida, sin duda vale la pena optar por ella debido a todos los beneficios que conlleva.

Como el dinero siempre es escaso uno debe priorizar en qué lo gasta, pero *la fortaleza del vínculo con los hijos no debe ser relegada en nuestras prioridades de vida*. Regalémosles menos cosas, pero gastemos más en transporte para ir y venir con ellos.

El mundo laboral

El mundo aún no se adapta (sobre todo en los hechos) a un padre que críe a sus hijos. Esto ya lo hemos visto en un capítulo anterior, pero lo mencionaremos aquí por constituir una de las mayores dificultades que deberá enfrentar un padre con crianza compartida. Las mujeres saben de esto, muchas se han visto en grandes dificultades por intentar atender bien a sus hijos y a sus trabajos. Esto no es nuevo, ya que si bien las clases acomodadas descubrieron hace sólo un par de décadas el trabajo femenino fuera del hogar, para los sectores populares éste es tan viejo como la humanidad. Ahora le toca al hombre tener que hacerse tiempo para el trabajo y para los hijos. Será un signo de evolución de la humanidad.

[5] Hay mujeres, para quienes un hijo significa una beca de por vida y no quieren que esto se acabe o disminuya su monto...

Dejar de lado promociones laborales, viajes y asuntos similares con tal de estar el tiempo suficiente con nuestros hijos, pasará a ser algo habitual. La equidad de los sexos aún no ha llegado a la situación en que el hombre tenga que elegir dejar de trabajar por cuidar a los hijos (salvo casos excepcionales y muy mal vistos). Pero sí ocurre que el padre deja pasar *buenas oportunidades* de trabajo debido al tiempo que insume la crianza de sus hijos. Muchos no están dispuestos más allá de que sus discursos sean a favor de la nueva paternidad. No hace mucho, un abogado, *especialista en derecho de los niños*, nos decía que si bien él estaba a favor de la crianza compartida, en su caso particular no podía adoptarla porque si su ex esposa no estuviera a cargo exclusivamente de los chicos, él no podría haberse dedicado a fondo a su profesión, ni podría andar recorriendo el país con sus conferencias. En fin, quedan aún resabios del viejo régimen en el que el hombre partía a salvar el mundo mientras su hogar se hundía. Son opciones. Habría que ver qué pensaban los hijos de este padre andariego: tal vez hubieran preferido que diera menos conferencias sobre los derechos de los niños y jugara un poco más con ellos. De todos modos es cuestión de buscarle la vuelta para hacer ambas cosas, atender debidamente a los hijos y cumplir con las obligaciones profesionales y de la vida.

La competencia

Los seres humanos somos muy competitivos, celosos y envidiosos. La sociedad del lucro y el consumo alienta esa competencia despiadada y genera espejismos: somos *exitosos* o *perdedores*. Por otro lado, nuestra propia historia hace que a veces entremos en competencia con el otro progenitor por el cariño de nuestros hijos: *¿A quién quieres más, a papá o a mamá?* Esto, que ya es un juego absurdo cuando los Padres viven juntos, cuando no conviven es patético. Hay que evitar entrar en esa carrera, porque de lo contrario pondremos al niño en una situación de mucho sufrimiento. No nos lo permitamos. No nos regocijemos con sus deficiencias, pues por lo general no jugarán a nuestro favor y pueden ser perjudiciales para el niño. Debemos regocijarnos de que el otro sea un excelente padre o madre y ayudarle en lo que podamos a que supere sus dificultades. Los dos deben tratar de hacer lo mejor posible y de ayudar al otro a hacer lo que más pueda. Porque nuestros hijos merecen lo mejor y nuestro rol es procurárselos.

Mayores riesgos de ser permisivos

Este es un gran problema de los separados en general, incluso de aquellos que tienen la crianza exclusiva, ya que uno tiende a evitar cualquier conflicto que pueda dañar el vínculo con los hijos. Cuando todos viven en la misma casa, uno puede enojarse, gritar e incluso pegar (forma bárbara de *domesticar* a los hijos), pues sabemos que los niños seguirán allí, ya que no tienen otra posibilidad (si los gritos y golpes son frecuentes, apenas tengan dicha posibilidad, huirán). Pero cuando los Padres están separados y los hijos tienen relación con ambos, siempre está el temor de que el niño no quiera volver a ir con el Padre más estricto. Es por ello que debemos moderar nuestro comportamiento. Esto resulta positivo cuando hace remplazar los gritos y golpes por razonamientos, conversaciones y sobre todo por el ejemplo, que es como se debe educar. Sin embargo, otras veces significa simplemente ser permisivos, aguantar lo que sea con tal de mantener a los niños contentos. Los niños se aprovechan de estas situaciones de debilidad y de las contradicciones entre los Padres.

Una madre que solía desesperarse con frecuencia y con bastante facilidad empezaba a gritar y a golpear a sus hijos cuando las cosas no le salían bien; luego le vencía el temor de que sus niños se fueran con el padre. Entonces, para contrarrestar, los consentía. Estos ciclos de gritos, golpes y arrepentimiento son rápidamente captados por los niños, de manera que esa madre (o padre) que es presa de sus arrebatos, se convierte también en presa de sus hijos.

Otro problema (que tampoco es exclusivo de los Padres separados pero que hay mayor frecuencia por la particularidad de los vínculos) es que les demos a nuestros hijos todo servido y que no dejemos que cooperen con las tareas de la casa o que colaboren cuando los necesitamos. El trabajo principal de los chicos es jugar y estudiar, pero también es importante que colaboren en la casa y ayuden a la familia en lo que ésta necesite. Ellos deben aprender el valor de la solidaridad y de la vida comunitaria. Es así como uno se integra: colaborando, ayudando, siendo parte del conjunto a través del esfuerzo mancomunado. Deben aprender que todos dependemos de todos, que los otros no están sólo para servirnos, sino que también necesitan de nosotros y que si uno quiere recibir es bueno saber dar.

Es perjudicial para el chico si lo tratan como *el rey de la casa*: el soberano no hace nada por nadie, deja todo tirado, pide lo que desea a gritos. Con tal de tenerlo contento, le permitimos que reciba todo sin dar nada. No creo que haga falta aclarar que estamos educando a un "monstruo".

Tratando de resumir un poco lo antes expuesto podríamos concluir con varios puntos centrales respecto de las debilidades de la crianza compartida. A saber:

- Los Padres deben comunicarse con cierta regularidad para sostener acuerdos o tomar iniciativas frente a diversos asuntos, enfermedades y medicinas de los hijos, reuniones escolares de padres, etc. Esto es particularmente importante ya que ellos no siempre manifiestan deseos de conversar o ver al otro, pues las dificultades y diferencias de antes siguen presentes.
- Pueden darse problemas de convivencia real desde lo sutil hasta lo severo con las nuevas parejas de los ex cónyuges.
- Los niños deben adaptarse a ritmos de hogares que son semejantes pero en esencia diferentes, lo que incluye distintos hábitos, reglas, horarios, visiones y estilos relacionales. Siendo ésta una debilidad, en ciertas ocasiones puede transformarse en una gran fortaleza ya que los niños aprenden a apreciar la diversidad, lo cual contribuye a una visión de la vida menos estrecha que cuando sólo una cosmovisión es la preponderante y rectora.
- Con los cambios frecuentes pueden dejar olvidados algunos enseres necesarios, lo que causa incomodidad. Esto debe ser resuelto por los padres acercando o trasladando lo olvidado.
- Algunas rutinas de los niños pueden alterarse levemente.

Todas las dificultades mencionadas en los últimos puntos son superables o posibles de sobrellevar. Todo es cuestión de decidir si de las consecuencias cotidianas de la separación se harán cargo los adultos o si prefieren que la carga la lleven los hijos. Hay quienes privilegian dar rienda suelta a sus rencores y hacer sólo lo que les venga en gana, sin importar lo que eso haga sufrir a los otros. Pero si uno, como adulto, asume que no deben ser ellos los que paguen los mayores costos de la separación, lo mejor es dejar los rencores de lado y asumir la *crianza compartida*, a pesar de que nos cause algunos de los inconvenientes que hemos estado mencionando. Todos son problemas que podemos prevenir para que no nos provoque demasiados trastornos. Debemos tratar de, siempre, pensar antes de actuar o reaccionar, para que nuestras acciones no sean tan inapropiadas que terminen despertando *al lobo* en el otro y se genere un espiral de malos tratos y desacuerdos. Hay que hacer que en ambos prime la cordura y el amor hacia él o los hijos en común.

Las dificultades que pueden encontrar los Padres que eligen la crianza compartida son menores que las que experimenta el niño que pierde a uno de sus Padres. Con previsión, organización y, sobre todo, buena voluntad y paciencia, todas esas dificultades se superan.

FORTALEZAS O VENTAJAS DE LA CRIANZA COMPARTIDA

La principal ventaja de la crianza compartida es que no se pierden ni se diluyen los vínculos afectivos entre padres e hijos. Se minimizan así los efectos nocivos del divorcio o de la separación de los Padres y se posibilita la cooperación y la solidaridad entre ambos, en la mancomunada labor de la crianza. Veamos un poco más en detalle todo esto.

Respetamos la estabilidad emocional del niño

Si en el matrimonio es deseable que ambos Padres participen en la crianza, mucho más lo es cuando están separados. La crianza compartida es la mejor forma de neutralizar –en los hijos– los efectos de la separación. El ideal del hogar con papá, mamá y los hijos no siempre es posible sin embargo, eso no significa que los hijos no sigan necesitando estar junto a ellos y contar con ambos para desarrollarse equilibradamente.

Los niños son puro afecto y con la crianza compartida pueden mantener su estabilidad emocional. *Lo principal para ellos es el afecto y la contención de sus padres; si eso está, el resto no les importa.* Ellos sienten que, estando sus padres, nada les puede ocurrir. Sienten que ellos los defenderán y les proveerán de todo aquello que necesitan. Es muy particular este lazo de los hijos con los padres, en especial cuando son pequeños, e incluso hasta avanzada la pubertad. A partir de ahí, si bien necesitan cada vez menos a sus Padres, éstos desempeñan aún un rol fundamental para contenerlos en sus primeras experiencias en el mundo exterior. Cuando no están los Padres o están de manera diluida, devaluada, las consecuencias no suelen ser buenas tampoco para el adolescente.[6]

Se sienten mucho más protegidos

En los niños la necesidad de sentirse protegidos, amparados, es muy grande. Esto es sumamente importante para que puedan dedicarse a lo suyo: crecer, experimentar, avanzar, superar sus propios límites cada día.

---

[6] No es buena la prolongación de la adolescencia más allá de los 17, 18 o 19 años, que hoy vemos en nuestras sociedades modernas. Observamos una especie de *centauro* (mitad adolescente y mitad adulto). Viven *su* vida pero *a costa* de los Padres. Tienen una vida sexual que ni los adultos poseen, gastan como si tuvieran, mandan como si fueran dueños, pero siguen viviendo con y de sus padres, sin más responsabilidades que las que ellos mismos se fijan, sin importar el conjunto familiar. Muchos no aportan nada y toman la casa como un hotel gratuito con pensión completa y varios otros servicios. Esto puede durar hasta los 25, 30 o 60 años de edad. Algunos dan por terminada su adolescencia en el velatorio del último de sus Padres.

Un niño que no se siente protegido seguramente se amilanará o se tornará agresivo y su crecimiento será una experiencia durísima, de la que no saldrá indemne. Su propio instinto de supervivencia lo hará reaccionar y buscar defenderse y satisfacer sus necesidades como sea. Sobrevivir será su única ley. Si bien es cierta la expresión, *lo que no te mata te fortalece*; también lo es que una experiencia puede dejarnos inválidos; o arrastrando una vida miserable por el resto de la existencia.

Los niños y adolescentes necesitan protección así como saberse amparados. Es la base para todo lo demás. Por otro lado, esa paz interior la necesita también el niño para dormir tranquilo y así poder recuperar fuerzas y procesar lo aprendido durante el día. Un niño que está todo el día en movimiento y desplegando energía necesita imperiosamente dormir bien. Si lo hace de manera intranquila o tiene pesadillas permanentes y terrores nocturnos, su cuerpo y su mente no tendrán el descanso necesario y pronto su conducta diaria se verá afectada. La base de sentirse protegido está en el afecto y en la solidez de sus vínculos primarios.

Cualquiera sabe que para los niños sus Padres son sus *súper héroes*, que todo lo pueden, que todo lo vencen. Esto no es porque sí, no es producto de las historietas como El Hombre Araña o Batman. Al contrario, estas series surgen y tienen éxito justo por la necesidad de los chicos, que por serlo, ven que al mundo sólo se le puede dominar con poderes superiores a los que ellos tienen.

Esta necesidad de tener a sus Padres cerca y de sentirse protegidos, podría parecer que con la adolescencia va desapareciendo, y así es en su superficie; sin embargo, para esos muchachos y chicas, ya casi adultos, saber que en algún lado están sus padres y que están atentos a lo que les sucede, saber que en caso de necesidad estarán a su lado, de que son sus incondicionales y que siempre podrán volver al nido, es lo que les permite volar más alto.

Disminuye el miedo de quedar solo

Este es uno de los temores que aterrorizan a los chicos de madres solas. Más allá de que las probabilidades que le ocurra algo a su mamá sean pocas o muchas, lo real son las fantasías del niño de perderla y el terror a quedarse totalmente desamparado.

No es un miedo irracional. Si ya perdió a uno, ¿por qué no va a tener cabida en sus pensamientos la posibilidad de perder al otro? Lo irracional es no prevenir que a uno le pueda pasar algo. Si el progenitor con tenencia exclusiva se enferma gravemente, tiene un accidente o se muere (ya que ninguno tiene comprada la vida), tal vez sea tarde para correr a buscar al progenitor ausente o desvanecido.

Los hijos disfrutan más a cada uno

Una de las sorpresas que dio la crianza compartida es que los Padres están más con sus hijos que antes, tanto uno como otro. No sólo están más en el tiempo, sino que los escuchan más, les prestan más atención. Incluso en situaciones en que uno de ellos tenía la crianza exclusiva, al pasar a tenerla compartida se preocupa mucho más por la calidad de sus momentos juntos.

La práctica de la crianza compartida permite aprovechar más al Padre presente. *Los Padres están más disponibles* y pueden redescubrirse con sus hijos mutuamente. Ésta ha sido una de las primeras cosas que llamaron la atención a quienes estudiaban esta nueva forma familiar y que comenzó a convencer a los colegas reacios. No es un dato menor o anecdótico que los Padres estén más tiempo y en relación más estrecha con sus hijos (más incluso que cuando vivían todos juntos) porque en condiciones *normales*, cuando todos estamos bajo el mismo techo, muchas veces no les prestamos demasiada atención y cada uno hace lo suyo; uno siente que *la casa los contiene y los acompaña*, pero *la casa somos nosotros*. Sin embargo, cuando el matrimonio o la pareja se rompe, el continente, el *hogar*, pasa a ser cada progenitor, de manera personal.

Además, por todo lo que ha sucedido se sienten más cerca de sus hijos. El mismo golpe afectivo que sufren con la disolución de la pareja hace que queden más sensibles a los afectos y a los vínculos. No olvidemos que, frente a lo perdido, nos aferramos a lo que tenemos. Por otro lado, desaparecida la pareja (o el matrimonio), desaparecido *el hogar*, los momentos y lugares comunes y cotidianos, suele sentirse que lo único que los une a los chicos es el vínculo y entonces lo cuidarán más, lo atenderán más.

La calidad del vínculo puede mejorar de manera sustancial, se hace más de persona a persona, tanto en hijos del mismo sexo, como de sexo diferente. Parecería como que hay más respeto del otro como persona. De alguna manera, cuando se está en el hogar tradicional lo que sostiene los vínculos son una serie de cosas y circunstancias anexas; en cambio, cuando ese *hogar físico* no existe, lo que sobrevive son los vínculos afectivos filiales. Todo ha desaparecido y sólo queda eso. La persona siente que tales vínculos se hacen más fuertes y enriquecedores para ambas partes. El *hogar* son los vínculos.

La crianza exclusiva a favor de uno de los progenitores es garantía de vínculos débiles y enfermos. Débiles con el progenitor que no convive y enfermos con el progenitor que está. Esto no es bueno para la salud mental del chico: entorpece su crecimiento, perjudica su autoestima y distorsiona su relación con el mundo. Para la salud mental de los padres también es nocivo.

Disminuyen las posibilidades
de alienación parental[7]

Por otro lado, al estar cada Padre alternativamente presente y tener los hijos contacto directo y fluido con ambos, hay menos riesgo de que uno predisponga al hijo negativamente con el otro. Pero si lo hace no tiene el mismo efecto ya que *el otro* no es un ausente, que el niño no conozca y del cual le pueden construir la imagen que quieran, sino que es un ser de carne y hueso, con quien comparte muchos momentos y el hijo puede comprobar por sí mismo sus cualidades y defectos.

Sana construcción de su identidad

Preservar los lazos con ambos Padres y con ambas ramas familiares es esencial en la construcción de la identidad del niño (vínculos primarios sanos, proceso de identificación y diferenciación, Edipo, formación de su autoestima, salir de su natural egocentrismo, incursionar en el mundo, etc.).

Tener cerca a ambos Padres permite al niño enriquecerse con todo lo que aporta cada uno, desde su persona, desde su género, desde su historia y desde la vivencia de cada rama familiar (abuelos, parientes, amigos, etc.). Aprende a distinguir y a apreciar las diferencias. A que lo diferente también puede ser aceptado, valorado y amado. Comprende que lo diferente puede ser fuente de riqueza y no de peligro. Continúa la bipolaridad (Ferrari, 1999) que lo concibió y gestó.[8]

Como ya hemos expresado, el hijo puede apoyarse en uno o en otro progenitor alternativamente, según sus necesidades. Se siente más contenido cuando cuenta con ambos Padres, más seguro. Sabe que están, que puede contar con los dos. Esta seguridad es vital cuando uno está creciendo, cuando uno está sobrepasando límites todos los días. Cuando no estamos seguros no podemos avanzar, intentamos volver hacia atrás o nos quedamos quietos, paralizados. Esto es muy importante en la construcción de la identidad y en la construcción primaria de los vínculos del niño con su entorno. La autoestima se va estableciendo con base en las experiencias que se van teniendo.

La crianza compartida evita las relaciones enfermizas que se dan en torno a estas situaciones unilineales, tan propias de las familias monoparentales. Todos los monopolios son malos y el de los afectos, en estas situaciones, es nefasto. *Mi mamá es todo para mí, es la única que me quiere*, o *yo soy todo*

---

[7] El denominado Síndrome de Alienación Parental (SAP) es cuando el niño recibe, por parte de alguno de sus progenitores, una acción sistemática y constante en contra del otro progenitor. En el capítulo 2 hacemos referencia a esta situación.

[8] Sobre esta bipolaridad de la que hablamos puede profundizarse en *Ser padres en el tercer milenio* (Ferrari, J., 1999).

para mi mamá son palabras de afecto muy bellas y que a todos nos gusta decir o escuchar, pero cuando son literalmente reales resulta sumamente negativo y muestra serias carencias en la personalidad de uno o de ambos.

La mayor de las ventajas de la crianza compartida es que les da a los hijos una *mejor imagen de sí mismos.* Este es uno de los mayores logros: se sienten bienqueridos por ambos. Desaparece esa terrible sensación de abandono, de que uno de ellos (en general el padre) no se ocupa de él, o no lo quiere. Esto para la autoestima es un golpe difícil de digerir e imposible de superar.

VENTAJAS PARA LOS PADRES

No hay ganadores ni perdedores

No hay ganadores ni perdedores, con lo que el clima mejora sustancialmente y puede surgir la paz necesaria para que los hijos evolucionen tranquilos y con naturalidad. No es necesario detallar el infierno que viven los hijos cuando sus Padres están en una eterna pelea. Deberes y derechos iguales es la base para que prime el respeto mutuo.

Ni principal, ni secundario. Los roles de padre y madre se enriquecen y valorizan si ambos tienen iguales responsabilidades. Si uno abarca todos los espacios, el lugar del otro se debilita e incluso se atrofia, al menos para los hijos. Que el otro cumpla su rol permite que yo cumpla el mío, que los dos estemos permite que uno tenga el espacio y los descansos necesarios para que los roles sean desarrollados de manera sana y equilibrada.

Es difícil y a veces imposible ser padre un día por quincena. La relación filial se construye en la cotidianidad, al menos en los primeros años. Un par de horas o una tarde cada semana o cada 15 días garantiza lazos débiles. Así no hay posibilidades de entablar la confianza e intimidad que constituyen las fuentes nutricias fundamentales de los vínculos filiales. Cuando establecemos *regímenes de visita* de esas características, estamos condenando al hijo a perder a su padre o a tener un vínculo desvanecido, que no le servirá de mucho, como no sea hacer más notable su vacío interior.

Pueden trabajar, pasear, descansar, tener novio(a)

Compartir por igual las tareas de la crianza deja lugar para existir a ambos Padres: pueden trabajar, estudiar, tener novio(a), pasear, descansar, tener proyectos propios. Esto es particularmente importante en la mujer que es la que habitualmente lleva toda la responsabilidad, tanto en los matrimonios tradicionales como en los regímenes de crianza exclusiva femenina. Ella puede, ahora, reinvertir su vida adulta y él deberá organizar la suya para hacerle lugar a sus hijos y a los tiempos y actividades que ellos requieren.

Si desde el nacimiento ambos progenitores comparten la crianza (estén casados, en pareja o separados), la mujer no interrumpe su vida por *culpa* de los hijos. Con la crianza compartida puede, además, continuar su formación o carrera laboral para no quedar frustrada o minusválida debido a su dependencia económica.

La modernidad no ha llegado a todos, pues hay quienes rechazan el nuevo rol de la mujer y del hombre. No nos sorprende que esto ocurra en personas mayores, pero encontramos jóvenes de 18 o 20 años de edad de ambos sexos, que tienen la idea de que el hombre es quien debe trabajar y la mujer ser *mantenida*. Tampoco deja de sorprendernos ver a algunos jóvenes con prejuicios de género que ni siquiera nuestros abuelos tenían. Ellos —nacidos y criados en la primera década del siglo xx— tenían ideas muy fijas del rol del hombre y la mujer, donde él mandaba y ella obedecía (al menos en apariencia), pero no sólo no odiaban al otro sexo (en ese tiempo el género se usaba para la ropa) sino que ambos lo consideraban imprescindible. Pero ahora escuchamos a jovencitos cuyo discurso es en buena parte absolutamente discriminador y *anulador* del otro género y que mantienen con él sólo una relación de uso y desecho. Esta realidad —aunque minoritaria— debe cambiar y esa es una tarea de todos.

Menos problemas de dinero

En la crianza compartida también se comparten las responsabilidades económicas. El viejo esquema de papá totalmente dedicado al trabajo y mamá a los hijos, deja al varón sin hijos y a la mujer sin dinero. Ahora, con mujeres capacitadas laboralmente y con crecientes posibilidades de trabajo, el sostenimiento del hogar también se hace de manera compartida. Esto alivia al hombre de llevar toda la carga y le da posibilidades a la mujer de no ser una eterna dependiente económica. Por otro lado, partir de un acuerdo justo en lo principal, que son los hijos, facilita que haya acuerdo justo también en los temas económicos. Como ya dijimos, un padre implicado en la crianza difícilmente será reticente con el dinero.

Coeducación

Tener con quién compartir las miles de vicisitudes de la formación de los hijos es uno de los mayores beneficios de la crianza compartida.

Siempre hay alguien dispuesto a dar consejos, pero no es bueno tomar decisiones con gente que no está involucrada. Puede pedirse asesoramiento, pero las decisiones deben tomarlas los involucrados directos: los Padres. No es lo mismo tomar decisiones con alguien de afuera, por más que sea pariente o amigo, que decidir acompañado de alguien a quien nuestros hijos le importan tanto como a nosotros y que, además, los conoce de cerca y compartirá las responsabilidades de las decisiones y sus consecuencias. La formación de los hijos es mucha responsabilidad para una sola persona y siempre que hay caminos que se bifurcan es preferible que haya distintos puntos de vista para sopesar cuál es mejor tomar.

Con la crianza compartida los Padres se dan cuenta de que, si se respetan mutuamente, ambos ganan mucho y esa es la mejor educación que puede recibir un hijo de sus Padres, pues aprenden a respetar y a tener en cuenta a los otros.

Familias recompuestas[9]

Con el esquema de crianza exclusiva, si la madre decide iniciar una nueva relación ocurre que ésta, al cargar con todo el peso de la exclusividad del cuidado de sus hijos, carga también a su nueva pareja y a su nuevo hogar con dicha responsabilidad. Por otro lado, al padre, dañado por la ausencia de sus hijos, le cuesta relacionarse con los hijos de su nueva pareja y asumir sanamente tener otros propios. Si las relaciones con la ex pareja eran malas y le obstruían el acceso a sus hijos o él no sentía demasiado apego, *con una nueva pareja es posible que desaparezca del todo.* Con la crianza compartida estas situaciones cambian totalmente, ya que ambos se sienten por igual responsables y nadie carga solo con todo el peso de la crianza. Esto permite mantener fuertes y sanos los vínculos filiales y además tener los tiempos y espacios que la nueva pareja necesita. Otro aspecto sumamente importante es que, al estar ambos padres cumpliendo su rol, no se intenta convertir a la nueva pareja en el progenitor ausente. Podríamos decir que, con la crianza compartida, las nuevas relaciones no deben cargar tanto peso del pasado reciente.

Así, las llamadas *familias recompuestas* pueden constituirse en fuente de riqueza para los chicos: de diversidad de experiencias, de ampliación de sus vínculos afectivos, de una mayor socialización. El de estas nuevas familias es todo un tema, muy nuevo, a veces muy complejo y en el cual *hay que ir haciendo camino al andar.* Creemos que lo central es proteger los tiem-

---

[9] *Familias recompuestas*, también denominadas *ensambladas, reensambladas,* o *reconstituidas,* designa al grupo familiar compuesto por los adultos en pareja y los hijos de anteriores matrimonios (o relaciones) de uno y otro; puede también haber hijos de ambos: *los míos, los tuyos y los nuestros.*

pos y espacios de cada uno de los involucrados y ser cuidadosos en los equilibrios. Porque, como hemos dicho, los hijos ponderan que, con la crianza compartida, están más con cada progenitor.

LA ALEGRÍA DE LOS HIJOS

La mayor ventaja de la crianza compartida es la alegría de los hijos. Ésta es además la mayor diferencia con la crianza exclusiva por parte de un solo progenitor. La tristeza o la melancolía, las rabietas, el mal carácter o la agresividad pasan a ser ocasionales y no constantes, en la vida del niño. Así, la separación de sus padres los llena de anécdotas (no todas graciosas) sobre las situaciones generadas por el ir y venir, por los olvidos o por las nuevas parejas de papá o mamá; pero se sienten queridos y contenidos. Ya no es el niño triste, que vive enojado, o es agresivo, inmerso en una pelea sin fin y sin cuartel, tironeado por los egoísmos de sus Padres y que tiene que soportar las diatribas de uno acerca del otro. Ya no es un niño maltratado por el estado de nervios permanente que vive a su alrededor, angustiado por ver desvanecerse a su padre y agobiarse a su madre. *La crianza compartida no es el paraíso, pero posibilita a los hijos sentirse queridos por ambos Padres* y permite que los tenga cerca; eso les basta para ser felices, crecer sanos e ir superando las vicisitudes de la vida.

Con el afán de resumir lo anterior, creemos que las fortalezas de la crianza compartida quedan de manifiesto de la siguiente manera:

- Ambos Padres continúan criando activamente. Ninguno queda marginado ni atrapado por la demanda constante de la crianza.
- Fomenta los lazos de cooperación y entendimiento entre los Padres, quienes comprenden que necesitan de una alianza a largo plazo y donde es necesario jerarquizar problemas y bondades, asignando importancia a lo que sea primordial y *dejando pasar* lo secundario en función del acuerdo por los hijos.
- Los hijos sienten que no han perdido a la madre ni al padre. Conviven equitativamente en ambas casas, lo cual fortalece representaciones imaginarias individuales de equidad. Conformidad de los niños respecto de los tiempos compartidos con ambos progenitores.
- Los niños enriquecen y diversifican sus intereses, actividades y juegos.
- Los hijos a menudo se integran a las familias reconstituidas de ambos padres donde a menudo se enriquece su mundo relacional con la presencia de diferentes integrantes de esta nueva familia, lo que incluso puede implicar otros hermanos de esta reciente unión.

- El hijo no se ve involucrado en conflictos de lealtades hacia uno u otro Padre derivado de la convivencia, como se puede observar con intensidad en la convivencia monoparental.
- Los niños aprenden rápidamente el modelo tolerante y conciliador de los Padres, por lo que tienden en sus relaciones sociales a estar dispuestos a colaborar, a resolver los problemas mediante acuerdos, a respetar los géneros, a evitar la agresión.
- Disponen de mayor tiempo libre para cada progenitor, tiempos equitativos para la organización y desarrollo de su vida laboral/profesional y personal.
- Se comparten con mayor equilibrio los costos personales y económicos derivados de la crianza.
- Garantiza el desarrollo pleno de los hijos, con mayor equidad.
- La mayoría (más de las dos terceras partes) de los niños que están bajo crianza compartida, se manifiestan razonablemente felices con sus contactos y accesos a ambos padres; por el contrario, hemos comprobado que la amplia mayoría de los hijos en crianza monoparental se encuentran insatisfechos con la cantidad de tiempo de permanencia o visita del progenitor con el cual no conviven. Este no es un tema de menor importancia ya que estos niños comienzan a usar el término de *visita* (porque a eso se ha reducido el rol del progenitor ausente, despojándolo socialmente de todos los derechos que observamos contenidos en la crianza compartida).
- En general, la calidad de las relaciones Padres-hijos aparecen mejor evaluadas (satisfactorias) y resultan más naturales en la crianza compartida, pues los Padres se *contienen* mejor y afrontan el proceso con más recursos emocionales y personales. Por su parte, en la crianza monoparental, al verse recargadas[10] las labores (a menudo de la madre que es quien consigue la tuición) de la tutora, ésta suele verse desbordada por las circunstancias cotidianas, sintiendo poco o ningún apoyo del padre, lo cual a menudo se traduce en rencores, agresiones y desquites dados a través de limitaciones del contacto con los hijos.
- Recientemente parece haber surgido un reclamo generalizado en relación a que los Padres ya no ponen límites a sus hijos. Pues bien, estamos convencidos de que las madres desbordadas y padres *ninguneados* (ausentes, *padrectomizados*) se encuentran imposibilitados de poner límites por la misma vulnerabilidad de su situación, mientras que la crianza compartida permite a los Padres estar investidos de todas sus funciones en cuasi armonía y, por tanto, ejercer una mejor contención de sus hijos.

---

[10] Esto suele proyectar consecuencias negativas de todo tipo. Las madres desbordadas hacen cosas desbordadas, así como los padres desesperados hacen cosas desesperadas. La CC es la mejor prevención para no llegar a esos extremos o situaciones límite.

- La autoestima de los niños suele ser adecuada y semejante a niños con familias que no se han separado y que viven en sencilla armonía familiar. Son niños mejor adaptados y menos excitables e impacientes que aquellos niños provenientes de la crianza monoparental.
- Los niños a menudo se sienten satisfechos respecto del tiempo y vida que comparten con sus padres.
- Los Padres en crianza compartida resultaron ser los más involucrados con sus hijos y menos *desbordados* por sus responsabilidades parentales que los que mantienen la crianza monoparental.

Como es posible observar en el anterior resumen de características encontradas en nuestros estudios de los últimos dos años, las fortalezas son múltiples y muy positivas.

Sentimos urgencia de plantear que, cuando no haya acuerdo entre los progenitores entonces debemos promoverlo social, cultural y legalmente en toda sociedad y país que entienda que su futuro se encuentra en una infancia más sana. Los niños de hoy serán los profesionales, los políticos, los trabajadores del mañana del que habrán de salir quienes dirijan los destinos de la nación.

Son los magistrados —a menudo mujeres— los que deberán tener en cuenta el derecho primordial y superior del niño a mantener contacto directo con ambos Padres de modo regular, salvo aquellas causas graves que aconsejen lo contrario; tal como lo establecen las normas internacionales y las respectivas constituciones nacionales.

Por otra parte, debemos tener en cuenta que cuando no sea posible asumir la crianza compartida por razones puntuales, entendemos como prioridad el otorgamiento de la crianza al progenitor que esté mejor dispuesto y asegure el derecho inalienable del niño a mantener contacto con el otro Padre.

No debemos olvidar que quien obtiene la custodia a menudo se siente desbordado y carente del apoyo, y que intentan equilibrar trabajo, hogar y crianza (Cantón y Justicia, 2000), por lo que obtener la crianza compartida pudiera generar equidades indispensables.

La crianza compartida implica entender la convivencia de la nueva familia escindida con base en la solidaridad, en vez de en el conflicto. Debemos promover la cultura del acuerdo, la mediación, la tolerancia y la cooperación en vez de la cultura del litigio y el hostigamiento.

La crianza compartida está llamada a ser no la única salida ante la realidad de la separación conyugal, sino una opción imprescindible y elegible, *infinitamente más provechosa que la tuición monoparental* cuando las condiciones están dadas, así como garante de equidad y salud mental para todos los miembros involucrados en el proceso.

¿La decisión respecto de la crianza compartida debe judicializarse?

Hemos comprobado que cada vez que un conflicto por tuición se judicializa por la carencia de acuerdo entre las partes, crece la posibilidad de que el conflicto se profundice y los progenitores varones, así como sus hijos, aumenten las pérdidas respecto de las iniciales. No estamos promoviendo con estas palabras la inclinación a la pasividad sino a la búsqueda de acuerdos de preferencia extrajudiciales, o en su defecto acuerdos basados en los procesos de mediación donde ésta exista, la cual podrá promover acuerdos equitativos[11] si está bien llevada.

Si no queda más remedio que llevar el conflicto al ámbito de los tribunales, entonces los padres y los tribunales deberán:

- Intentar el cuidado de la figura paterna (si usted es la madre, o a la inversa si es el padre) ya que de esta manera también cautelará la construcción de un imaginario psicológico individual lo más saludable o apropiado posible en el niño del rol de padre o madre.
- Promover que los plazos del proceso judicial donde se establecerá el régimen de crianza compartida sea lo más abreviado posible.
- Tener la disposición permanente (los encargados de aplicar justicia) de escuchar siempre la opinión del niño en un ambiente adecuado, con profesionales idóneos y capacitados, para poder detectar si es que existe manipulación sugestiva (SAP o padrectomía) en sus argumentos o testimonio.
- Priorizar los acuerdos y la conciliación entre los Padres antes que la *resolución* del tribunal.
- Cautelar que los procesos de mediación (llevados adelante por mediadores capacitados) sean un escalón decisivo en las resoluciones asumidas.
- Atribuir la posibilidad de que el progenitor no custodio recupere el tiempo obstruido del contacto toda vez que el custodio frustre, retarde o entorpezca la convivencia o contacto.
- Hacer extensiva (en la medida de lo posible) a otros parientes (abuelos, tíos, primos, etc.) la relación directa y regular, el apego con los niños en disputa, cuando sea conveniente para éste.

---

[11] Hay que proponer mecanismos ágiles (seguros, accesibles y económicos) de resolución de crianza compartida. No basta que esté en la legislación, deben darse los medios para hacerla efectiva. Cuando es de mutuo acuerdo, tendría que ser un trámite rápido y simple que permita resguardar los respectivos derechos de todos los involucrados. *Sospechamos* que existen intereses creados para que este trámite en la actualidad se demore, sea caro y poco ágil.

- Consignarse lo más claramente posible que el cuidado personal de un niño no debe implicar la evitación u obstrucción del otro progenitor aduciendo cambios del niño o inconveniencia del progenitor custodio.
- Buscar el logro de compromiso personal de las partes con los niños y que se sienten las debidas bases de una relación pacífica y adecuada para el futuro.
- Compartir de una manera equilibrada las responsabilidades devenidas del proceso de crecimiento y desarrollo del hijo.

Ante todo, debemos tener en cuenta que crecer con un Padre ausente tiene consecuencias negativas para los niños en los aspectos económico, psicológico, cognitivo y afectivo. Por ello, tanto los Padres, como las personas encargadas de impartir justicia, además de los profesionales implicados en el proceso, no debemos perder esto de vista.

Estamos convencidos de que las políticas públicas deberían concentrar sus esfuerzos en fortalecer la familia y la paternidad masculina, ya sea a través de la educación o de los medios de comunicación, antes que dedicarse a desarrollar medidas paliativas de las rupturas familiares.

Debe dejarse de promover la monoparentalidad femenina de la crianza: que se entienda de una vez por todas que nada ayuda más a la mujer y a la sociedad actual que defender la paternidad y su ejercicio pleno. No en vano la Ministro de Familia Francesa, Ségolene Royal, lo hizo en su país abiertamente, cuando promovió la paternidad a través de medidas concretas.

La crianza compartida implica entender las nuevas formas de convivencia de la nueva familia escindida con base en la solidaridad, en el conflicto. Debemos promover la cultura del acuerdo, la tolerancia y la cooperación en vez del litigio y el apremio. La custodia compartida debería concernir el ejercicio compartido de la patria potestad, los acuerdos, el equilibrio y los consensos: sólo así puede concebirse una familia nueva y la preservación de sus principios más elementales.

10

Pareja de Padres: la utopía posible

Desde hace décadas venimos alentando que, dentro del matrimonio, el varón participe junto con la mujer en la crianza de los hijos. Hemos visto que esto es altamente beneficioso para los niños, así como para la madre y también para el padre. Pues bien, cuando el matrimonio o la pareja se rompen, la presencia de ambos en la crianza se hace imprescindible. Al no estar los padres juntos, la fortaleza de los vínculos filiales es todo lo que esos chicos tienen para crecer de manera sana y equilibrada. Los hijos necesitan crecer con ambos Padres cerca, así es que cuando quedan *medio huérfanos* sufren dicho vacío y pueden padecer carencias de distinto tipo y significación.

Lo utópico es que todos los padres conformen parejas amorosas y felices durante toda la vida. Y no porque no las haya, sino porque evidentemente no todos lo logran. Pero lo que sí pueden tratar de lograr, todos los que se separan, es permitirles a sus hijos conservar a su padre y a su madre, aunque ya no convivan bajo el mismo techo.

La pareja de Padres es perfectamente posible y viable. En primer lugar, tienen que considerar que esta es otra pareja y otro tipo de relación. No tiene nada que ver con la anterior relación. Los sentimientos son de características absolutamente diferentes, las expectativas son también distintas y lo mismo las obligaciones. El compromiso de uno con el otro ha cambiado por completo. Y los integrantes son también muy distintos. Ya no están juntos por lo mismo que antes; ahora sólo se relacionan porque son Padres del mismo hijo, para ayudarse a cumplir sus labores como progenitores.

La guerra de los Rouses[1]

Ella

"Yo con el padre de mi hijo no quiero saber nada..."
"Nunca tuvimos mucho que ver, él es totalmente diferente a mí..."
"Lo único que necesito de él es el cheque..."
"Yo sola puedo criarlo, ¿para qué lo necesito a él...?"
"Ni siquiera sé si realmente es su hijo, salimos una sola vez..."
Etcétera.

Él

"Con esa loca, cuanto más lejos mejor..."
"Nunca tuvimos mucho que ver, ella es totalmente diferente
a mí..."
"Yo le paso el dinero y ella que se haga cargo de criarlo..."
"Con su madre estará bien, que lo cuide ella,
que para eso están..."
"Ni siquiera sé si realmente es mi hijo, salimos una sola vez..."
Etcétera.

Frases como estas o similares pueden escucharse a diario, en charlas de café, en los medios de transporte, en los consultorios de terapeutas, en los confesionarios, en los foros de Internet o en los *chats*.

De una manera u otra evidencian que, tras la relación de años u horas, no quieren saber nada más el uno del otro. Esto es innegable y es parte de la vida amorosa: encuentros y desencuentros; intentos, pruebas, ensayos; éxitos y fracasos.

Pero todo cambia cuando de esa relación nace un hijo. Ya no están solos, ya no pueden hacer sólo lo que les viene bien a cada cual. Todo lo que hagan o dejen de hacer repercutirá en la vida del hijo que tienen en común. Él sólo tiene a sus Padres y no deberían fallarle.

En la sociedad de hoy ya es algo habitual las relaciones de Padres que se llevan mal. Nos es familiar ver a una pareja de divorciados que se avienta las cosas a la cabeza, que esconde su patrimonio y que le hace la vida imposible al otro, sin importar que en esa pelea terminen destrozados sus hijos. Lo común para todos ha sido ver a padres que se desentienden de sus hijos cuando se divorcian y a madres que impiden

---

[1] *La guerra de los Rouses* (*The War of the Roses*). Basada en la novela del mismo título de Warren Adler. Dirigida por Danny Devito y protagonizada por Michael Douglas, Kathleen Turner y Danny Devito, 1989, Estados Unidos, 20 Century Fox.

que los padres sigan ejerciendo su paternidad. Nos ha parecido normal e inevitable que unos y otros intenten predisponer a su hijo en contra del otro.

Eso es lo que más hemos visto en los últimos 40 años, en la realidad y en la literatura. Pues bien: es hora de dar vuelta a la página. Ese tipo de separación con gritos, peleas y odio ha dado origen a generaciones de hijos *medio huérfanos*, desequilibrados y profundamente infelices, por no mencionar los raptos, suicidios y asesinatos que han cometido sus Padres movidos por el resentimiento y el odio. Este modo de *separarse* sin dejar de pelear *juntos*, está magistralmente retratado en la película *La guerra de los Rouses*. Tanto cuando hay peleas, como cuando el padre desaparece o es apartado de la crianza, los hijos lo resienten. Ya ha llegado el momento que esto deje de ser la norma y pase a ser la excepción.

No se sabe para dónde irá el mundo, la violencia globalizada, la falta de valores, el cambio climático y el agujero en la capa de ozono. Pero sí podemos hacer que nuestra familia y nuestros hijos vivan en paz y en un ambiente lo más sano posible; esforzarnos para que el caos y la violencia (gritos, peleas y odio) no les lleguen de parte de sus padres.

¿CÓMO ARMAR UNA PAREJA DE PADRES CUANDO LA PAREJA SE DISUELVE?

¿Cómo lograr una pareja en donde *ser Padres* sea lo importante y nos posibilite dejar de lado todo el resto?

Lo primero es tener claro el objetivo: la felicidad del hijo de ambos. Ese va a ser entonces el objetivo de la pareja de Padres: lo que más convenga al desarrollo del chico y lo mejor para el desenvolvimiento de los padres como sus protectores.

Un hijo sólo tiene a sus Padres para cuidar su crecimiento. Durante sus primeros años no tiene cómo sobrevivir o cómo defenderse, para eso están sus Padres; por tanto, deben privilegiar las necesidades del hijo sobre las de ellos mismos: *el interés del niño por encima del de los adultos*. Lo que hagan debe ser motivado por amor a él y por cumplir con su responsabilidad.[2]

---

[2] El *interés superior del niño* es un concepto plasmado en la legislación internacionalmente (Convención de los Derechos del Niño) y en casi todos los países, esto es también reconocido en las normativas nacionales. Por ejemplo, en Argentina en el artículo 75, inc. 22 de su constitución nacional y en el artículo 3 de la Ley 26.061 (Protección integral de los derechos de las niñas, niños y adolescentes). En cuanto a las responsabilidades que corresponden a los padres, están detalladas en el artículo 264 del Código Civil Argentino.

Si se odian, si se hicieron mal, si se engañaron, si nunca se amaron, si el otro no es lo que querían, si los desilusionó, todo eso ya no importa, ahora deben abocarse a pensar hacia delante, en cómo darle lo mejor al hijo que concibieron juntos.

Tal vez, el primer pensamiento que les viene a la cabeza será, *el otro no es lo mejor sino lo peor*. Eso es muy natural, pues uno siempre piensa que su ex pareja es *lo peor*; forma parte de esa costumbre tan humana de echar la culpa a los demás sin asumir los propios errores. Quien fuera el amor de nuestra vida, de repente (o no tan de repente) se transforma en el peor representante de la raza humana.

Pero ahora están obligados a no pensar ni sentir como hombre y mujer heridos, sino como Padres dispuestos a hacer todo lo necesario para brindar lo mejor a su hijo. Y sean lo que sean, mejores o peores, para ese niño son sus Padres, los únicos que tendrá.

Como Padres, los seres humanos tratamos de dar lo mejor de nosotros mismos. No siempre resulta, y es cierto que hay padres y madres que hicieron la vida imposible a sus hijos, pero dejemos que eso lo juzguen ellos y no nosotros, que venimos con mucho lastre en contra del otro.

Formar una *pareja de Padres* no es difícil. Los únicos impedimentos serios son el posible encono entre ambos y/o una actitud negativa por parte de uno o de los dos, por rencor, egoísmo o irresponsabilidad.

Es mucho más fácil llevarse bien como Padres, que conformar una pareja amorosa[3] que dure en el tiempo. En primer lugar hay una motivación muy fuerte: el hijo en común. Un hijo con necesidades bien concretas y perentorias (acuciantes), por lo que debemos abocarnos a atenderlo; y *atendiéndolo* cumplimos nuestras funciones de Padres y damos contenido a esa relación.

¿Cuáles son las actividades de la pareja de Padres? Coordinar las tareas del cuidado y del crecimiento del hijo; quién lo cuida hoy, quién lo cuida mañana. Cuando es más grande: quién lo lleva o lo trae de la escuela, quién lo lleva a los cumpleaños o a las actividades extraescolares; quién está y juega con él en la tarde, dónde duerme, etc. Al hacer todas estas actividades se van dando las otras, las formativas, en las que uno va trasmitiendo afecto, valores y todo su legado histórico y cultural.

Ambos deberán tener el tiempo necesario para estas actividades que son parte de los cuidados y de la formación de su hijo. Un niño requiere tiempo y atención; y cuanto más pequeño es, más cerca, atentos y disponibles hay que estar. A medida que va creciendo va siendo menos demandante hasta que, al llegar a la adolescencia, necesita un cuidado más distante.

---

[3] *Pareja amorosa*, le hemos denominado arbitrariamente a la que conformaban los padres inicialmente cuando concibieron al hijo, para contraponerla a la que deben conformar cuando se separan para cubrir las necesidades de Padres que tiene todo hijo. Pueden haberse amado o no, constituir una pareja o haber estado casados.

Ambos deben poner lo mejor de sí mismos para que esto funcione y ambos deberán hacerle un espacio en sus vidas. Los hombres no están muy acostumbrados a ello, pero ese niño o esos niños les llenarán sus vidas y los colmarán de felicidad, de plenitud.

Esa que nos hizo sufrir o *ese que nos rompió el corazón* se transformará en el (buen) padre o la (buena) madre que su hijo necesita para crecer, y en la persona que los ayudará a afrontar las vicisitudes de su crianza. ¿Es magia? Sí: la magia del amor, del amor por los hijos.

No desaparecerán de inmediato los sentimientos adversos, pero podrán hacerlos a un lado y tal vez algún día lleguen a sentir un íntimo agradecimiento por haber procreado y formado juntos a ese hijo maravilloso que seguramente es.

LA PAREJA AMOROSA Y LA PAREJA DE PADRES

La pareja amorosa (Quiroz, 2007) es algo sumamente complejo, en donde juegan elementos de nuestra historia y personalidad —la mayoría de ellos inconscientes y en general desconocidos hasta por nosotros mismos— que hacen que muchas veces la persona que elegimos no nos dé la felicidad esperada y se convierta en fuente de frustraciones y sufrimientos, o que la relación fracase y que cada uno siga su camino.

La pareja de Padres es algo mucho más simple, no tiene por qué seguir esos avatares de sentimientos inestables, sentimientos íntimos y monopólicos. *Desde el punto de vista emocional su compromiso es casi inexistente entre los miembros de la pareja de Padres: todo su afecto está dirigido al hijo;* y luego, por carácter transitivo suele haber cierto afecto hacia el otro progenitor, pero si dicho afecto no nace, ello no influirá demasiado en el vínculo filial.

La pareja amorosa no tiene un fin en sí mismo, a la vez que tiene o le ponemos muchos en nuestras fantasías: dar y darnos felicidad, conformar una familia, satisfacción sexual, compañía, tener o no tener hijos y muchos otros objetivos que varían según la persona, la edad y la cultura. Todo ello no es fácil de concretar y de conjugar, porque además nuestras metas no suelen ser las mismas que las de nuestro *partenaire*, ni siquiera cuando las expresemos con idénticas palabras, lo que cada uno quiere decir (o no decir) es diferente. También con la edad y con las vivencias la persona cambia y modifica sus intereses y prioridades. Todo esto le da una complejidad al matrimonio o a la pareja que no todos logran sobrellevar con éxito.

En cambio, la pareja de Padres tiene un fin preciso y concreto, al tiempo que no requiere ese compromiso emocional tan íntimo y constante.

Por lo pronto, no está en juego el amor romántico (que como todos sabemos va y viene) sino el amor a los hijos, que suele ser de una constancia y fortaleza sin par. Al *partenaire* en nuestra pareja de Padres no lo queremos por sí mismo, ni tampoco por sus cualidades románticas, sino por ser el coautor de nuestro hijo. Y, en esta nueva etapa, nuestro entendimiento no se basará en la atracción mutua ni en el deseo de agradarle o conquistarlo, sino que la finalidad será coordinar y organizar todo aquello que sea para el bien de nuestro hijo.

Esta relación es similar a la que entablamos con la directora de la escuela de nuestros hijos o con la maestra, o bien con la persona que organiza el campamento en donde las partes se esfuerzan para que todo salga bien, y ponen toda su paciencia y buena voluntad en ello. Sin embargo, existe una diferencia: la escuela y la maestra cambiarán constantemente, pero padre y madre siempre serán los mismos. Por tanto, no sólo tienen ambos que llevarse bien, sino que esa relación funcional tendrán que mantenerla durante muchos años. Así pues, además de paciencia y buena voluntad, *se necesitará establecer reglas del juego claras* que permita a los Padres tener una buena relación durante todos esos años, no sólo por el bien de su hijo sino también por el suyo. A nadie le gusta volverse indeseable, amargado y estar enojándose durante años.

Es simple: si uno quiere amargarse la vida y amargársela a sus seres queridos, está en libertad de hacerlo, pero si desea tener una vida agradable y ser fuente de buenos momentos, tendrá que dejar en el pasado el rencor y las desavenencias. Cuando de criar un hijo se trata, el futuro nos tiene guardadas una serie de situaciones difíciles, por lo cual es mejor caminar hacia él con el cuerpo liviano.

Sabemos que hay personas a las que les encanta pelear y que le harán la vida imposible al maestro, al director de la escuela y, por supuesto, al cónyuge (y luego al ex cónyuge, a los hijos, a las nueras y yernos...). A estas personas les aconsejamos que devuelvan este libro que tienen en sus manos y pidan el dinero en devolución, no sin antes tener una buena pelea con el librero.

Hay quienes no se atreven a dejar atrás la nefasta historia con su ex pareja porque es el único lazo afectivo que tienen, lo único profundo en donde se sienten únicos y protagonistas.[4]

---

[4] Del mismo modo algunas mujeres se aferran a los hijos por ser ese el único amor verdadero que han sentido. De este modo, se niegan a compartirlo, las aterroriza pensar que puedan querer a otro como la quieren a ella, así sea el padre. Ni hablar si avizora la posibilidad (cierta o imaginaria) de que puedan preferirlo a él y ser abandonada o pasar a un segundo plano. No sólo por sus sentimientos, sino además por el "qué dirán". En una sociedad en que aún el "ser madre" hace la esencia de la mujer, el que los hijos se vayan con el padre es una derrota insoportable, más que todo lo insoportable que le puedan parecer los hijos. También están quienes no tienen tapujos en usar a los hijos como su medio más eficaz y dañino para vengarse de su ex pareja o para vivir sin trabajar. Saben que es lo que más les duele y no les importa que sus hijos también sufran con tal de saciar su rencor. Mientras estos sentimientos malsanos perduren, nada de lo que aquí decimos tendrá sentido para estas personas.

FACILIDADES DE LA PAREJA DE PADRES

No hay convivencia

Hay una ventaja que es sensacional, ya que es donde más suele fracasar la pareja amorosa. En la pareja de Padres no hay convivencia: cada uno vive por su lado, duerme como quiere (y con quien quiere), deja su ropa como más le gusta y no tiene que soportar al otro, ni la intimidad con el otro.

Esa cotidianidad (que es maravillosa cuando uno ama y quiere compartir cada momento de la vida) se convierte en una tortura cuando el amor se ha disipado o ha perdido sus ímpetus iniciales y no hemos sido capaces de construir una relación sólida.

Ni celos, ni monopolio afectivo

La pareja de Padres tampoco tiene otras obligaciones de la pareja de enamorados, como son la fidelidad y el monopolio afectivo. Todo eso ya no tiene lugar en la sociedad parental, pues cada uno puede enamorarse de quien quiera sin que dicha sociedad parental se vea dañada. Pueden salir con todos los amigos y amigas que quieran, estar con su madre o sus compañeros de trabajo sin que el otro progenitor les haga escenas de celos.

En las parejas de separados entran en juego otro tipo de celos, que es por la supuesta o real felicidad del otro: no nos suele gustar que al otro le vaya bien y mucho menos que le vaya mejor que a nosotros. Ello incluye que progrese, que encuentre pareja, que tenga hijos… Esto –que puede ser muy humano–, debemos controlarlo y neutralizarlo, tanto en nosotros como en la otra persona.

No hay sexo, o no debería haberlo

No hay intimidad sexual, es decir, no debería haberla en quienes se han divorciado y han constituido luego una pareja de Padres. Las relaciones sexuales (que son también maravillosas cuando hay amor o cuando tenemos toda la atracción de una nueva pareja), se transforman en fuente de conflictos, de presiones y de depresiones, cuando ese amor desapareció y/o la atracción se desdibujó.

En la pareja de Padres, desaparecida la *tensión sexual*, la relación puede transitar por caminos mucho más estables y armoniosos. Si dejamos que el sexo se entremezcle, introducimos un factor de conflicto altamente explosivo y que podrá mandar por la borda todos nuestros esfuerzos. En este tema nos atrevemos a recomendar, que lo piense diez veces antes de desnudarse (y mientras lo piensan, que salgan a la calle y se dirijan a su casa). Si ceden a la tentación, o se hacen los *pícaros*, tienen todo para perder.

Salvo que hayan decidido reanudar la relación, tener relaciones sexuales con la ex pareja no es conveniente. Incluso en este caso, antes de pensar primero en lo sexual, converse su reconciliación, comuníquenselo a sus hijos cuando ya lo hayan madurado y estén seguros. Luego, pasen un fin de semana solos, para recuperar el tiempo perdido. Si le cuesta distinguir una excitación momentánea de una atracción seria, absténgase de relaciones sexuales esporádicas con la ex pareja (madre o padre de sus hijos). Será un almácigo de problemas (y de los fuertes), ya que renacerán las recriminaciones y los rencores. Todo lo que lograron durante meses o años lo echarán a perder, por un par de horas de placer (en el mejor de los casos).

No hay problemas de dinero, o no debería haberlos

No hay problemas de dinero (o no debería haberlos), porque en el acuerdo inicial se establecieron reglas claras al respecto. Pocos dichos son tan reales como el que dice: *Cuentas claras conservan la amistad.* Para que esto suceda el acuerdo debe ser justo y bien establecido, de modo tal que ninguno se sienta damnificado ni queden cuestiones pendientes. Lo mejor es que cada uno sepa a qué atenerse, tanto hoy como en el futuro, y no haya discusiones por estos temas.[5] Esto conviene hacerlo al principio, con la mente fría pero el corazón generoso (más que con el *partenaire*, debe ser con el hijo y con la vida que queremos que tenga; también generosos con nuestra salud mental y física, ya que muchos se arruinan la existencia por unos pesos más o menos).

Hay personas que son capaces de pagar fortunas a abogados o perder meses y años en los tribunales por bienes materiales que no lo valen. Dichas personas no se respetan, ni valoran su tiempo, su salud ni la integridad psíquica de su hijo. Seamos inteligentes con el dinero.

---

[5] También deben acordar cómo solucionar los gastos extra, para que no haya una pelea cada vez que aparece algo inesperado. De igual modo conviene conversar sobre qué sucede cuando cambia la situación de uno de los dos, o cambian las circunstancias. Esto permite prevenir y evitar peleas y nuevos enconos.

Poligamia y poliandria

Si bien existió y existe la poligamia y la poliandria, nunca han sido situaciones fáciles ni generalizadas, ni siquiera en aquellas comunidades en que eran una práctica permitida. Esta dificultad tiene principalmente su origen en las características del amor de pareja: los celos, la exclusividad, etc. Pero, por lo pronto, en nuestras sociedades actuales en general no es una práctica bien vista, como tampoco lo es la infidelidad. En cambio, una persona puede (aunque no sea recomendable) tener dos o tres parejas de Padres, cuando tiene hijos con distintos progenitores. En estas situaciones es necesario procurar hacer las cosas bien, para que no surjan inconvenientes innecesarios. Estos inconvenientes aparecerían, por ejemplo, si un hombre tiene intimidad sexual de vez en cuando con una de sus ex parejas y eso causa que se olvide de ir a buscar a los hijos que tiene con la segunda ex, además de que no le da el dinero que le corresponde, pues se lo da a la primera por los *favores* recibidos.

Si procuran ser respetuosos de los tiempos y lugares, de los deberes y derechos que cada uno tiene y se arman de paciencia y comprensión, todos podrán vivir en paz, viendo crecer a los hijos y ayudándoles en lo que ellos necesiten.

Hoy día es cada vez más común ver a un padre o a una madre que tiene hijos de diferentes progenitores; por tanto, es una necesidad social promover y alentar la conformación de estas *parejas de Padres* que sean capaces de sobreponerse a su historia y llevar adelante sus responsabilidades parentales.

De lo contrario, si seguimos alentando tener hijos y que los padres desaparezcan, ello significará en nuestros países, *arrojar a la beneficencia pública* a millones de niños y de mujeres, quienes pasarán todo tipo de necesidades y de peripecias en manos de organismos y de funcionarios insensibles.

Pareja ideal

En la pareja de Padres no hay convivencia, ni infidelidad, celos, intimidad sexual o problemas de dinero. Estos son los focos de conflicto en cualquier matrimonio, pero que no tienen razón de ser en la pareja de Padres. Por eso decimos que es una pareja simple y fácil de sobrellevar.

Los únicos temas en común son los relativos a la crianza del hijo, y en esto no habrá grandes divergencias, salvo que usemos cada tema para reiniciar alguna vieja discusión o para vengarnos de alguna cuenta pendiente.

Los Padres no deben volverse locos por las diferencias naturales que haya entre uno y otro. Si el niño con uno come más verdura y con el otro más carne, no debemos hacer de eso un problema: el organismo del niño hará su balance; lo mismo aplica para otras circunstancias: si en una casa se acuesta a las nueve y en la otra a las diez, o si los hábitos en una y otra casa son diferentes, esto no confundirá al chico, sólo le brindará capacidad de adaptación y riqueza de experiencias y nutrientes. Aprenderá a observar, respetar y asimilar las diferencias existentes.

11

El *Papá Sutra*: ¿cómo sobrellevar la pareja de Padres?

CUANDO EXISTEN SERIAS DIFERENCIAS

Hay situaciones excepcionales, como sucede cuando los Padres son de religiones opuestas o muy distintas, o cuando hay diferencias muy grandes de estilos de vida, de pertenencia sociocultural o son de países disímiles; pero, si esto ocurre, es una prioridad conversar sobre el tema, discutir y, si es necesario, recurrir a un mediador que ayude a abordar los puntos de desacuerdo.[1] Convendría también comprometerse a no realizar nada que impida al otro progenitor mantener el vínculo con sus hijos, ya que el temor de perder al hijo es lo que hace cometer las mayores locuras.

Todo puede arreglarse: aun esas diferencias y focos de conflicto pueden ser claramente definidos y platicados para acordar formas de resolverlos y tratarlos. El hijo y las necesidades de su crecimiento obligarán a

---

[1] Reconozcamos que el ser humano tiene tendencia a casarse con alguien lo más similar posible a sí mismo. Las parejas de diferentes niveles socioculturales son más comunes en la literatura que en la realidad. Cierto es también que el mundo globalizado hace que sean cada vez más comunes las parejas de culturas y países diferentes y distantes. Esto siempre existió (es una estrategia de la especie el procrear con foráneos para evitar el empobrecimiento genético), pero antes era habitual que los inmigrantes se quedaran a vivir y no volvieran a su terruño. En las últimas décadas esto ha cambiado, pues por distintas causas muchos extranjeros que traban relaciones y tienen hijos, luego regresan a su país produciendo situaciones que muchas veces no terminan bien. Es muy curioso ver en los foros (de Internet) de España, la cantidad de mujeres que piden consejo por haber tenido un hijo con algún inmigrante proveniente de los países árabes y/o de África, y quieren al niño para ellas solas, asaltadas por una repentina xenofobia.

los Padres a buscar solución a lo que tenga solución y aprender a convivir con lo que sea necesario soportar, con el fin de que el desarrollo del niño no se perjudique. Debemos ser capaces de convertir estas situaciones particulares (por ejemplo, cuando se proviene de dos culturas diferentes) en experiencias positivas y en fuente de enriquecimiento.

LO ODIO Y LE DESEO LO PEOR

No ignoramos que, a veces, quienes se separan lo hacen porque han acumulado mucho odio, rencor y toda una gama de sentimientos negativos. Sabemos que el más amado se transforma en el más odiado. Aquel con el que vivíamos, ahora queremos matarlo o verlo en la ruina más completa. Quien antes era para nosotros el mejor de todos, ahora lo vemos como el peor. Hemos escuchado testimonios que sentencian: *la persona que elegí para compartir mi vida, me partió en mil pedazos.*

El punto es este: además de todos esos males, esa pareja hizo algo bien: un hijo (o varios), quien –seguramente para ambos– es lo más importante en su vida. Pues bien, si el hijo es lo más importante, lo que más quieren, será necesario dejar de lado todo ese rencor, ese odio y los deseos de venganza. Estos sentimientos negativos son veneno en la vida y obstruyen el crecimiento: intoxican a los hijos y también a los Padres. Nadie que esté sano puede querer eso.

Si hay odio acumulado, hay que dejarlo salir, contar todo a algún amigo(a) o terapeuta y reflexionar sobre la propia contribución a ese desastre afectivo. Es imposible que él o ella sean los únicos culpables: si la relación fracasó, algo tuvieron que ver los dos. Y aunque podamos imputar más responsabilidad a uno que al otro, de lo que se trata ahora es de empezar de nuevo. Aceptar que también uno tuvo que ver con el fracaso, por acción u omisión, nos ayudará a no polarizar el problema y esto a su vez permitirá el restablecimiento del diálogo, en mejores condiciones.

Diálogo que, en este caso, sirve para ir construyendo la nueva relación que ambos necesitan, como Padres. La discusión de qué pasó en la pareja amorosa debe tener otros tiempos y espacios, y tal vez nunca se pongan de acuerdo; por eso no hay que mezclarla, ni introducirla en la pareja de Padres, porque en ésta deberán estar de acuerdo en casi todo.

BORRÓN Y CUENTA NUEVA

Quien sienta que es una víctima, dejará ya de serlo; no debe permitir que lo que le hizo él o ella continúe afectándolo. No debe castigarse más. No es sano pensar o seguir haciendo historias hacia atrás. Es posible tener una buena vida de aquí en adelante. Ahora, la relación con la ex pareja debe ser totalmente distinta, porque ya no es un vínculo de marido y mujer. La relación de la pareja de Padres es totalmente distinta de la anterior. El tipo de vínculo es absolutamente diferente; son otros los compromisos, las necesidades, los derechos y las obligaciones.

Lo único válido ahora para la pareja de Padres que tienen un hijo (o varios) es que hay que tratar de darles una buena vida. Los dos deben llegar a un nuevo acuerdo y hacer una sociedad en la cual cada uno pondrá de sí lo mejor para ese hijo.

Lo otro quedó atrás, es parte de la historia, pero no pueden dejar que les arruine el presente.

¿PUEDO CAMBIAR LA RELACIÓN?

Claro que sí. De hecho, desde la separación ha cambiado todo, y la vinculación con la ex pareja es por motivos diferentes a la anterior etapa. No es fácil cambiar a las personas y tampoco uno mismo, pero lo que sí puede hacerse, es cambiar la relación existente entre la otra persona y uno. Especialmente en estos casos, en que ha cambiado totalmente la situación: ya no están juntos como pareja amorosa sino como pareja de Padres. Están en otra dimensión, nada es lo mismo que antes. Entender esto es una de las claves para obtener los mejores resultados.

Muchas cosas han dejado de importar y otras tantas empezarán ahora a ser importantes. Que él o ella no hayan servido para la etapa anterior, que no haya habido compatibilidad como pareja o que se hubiera acabado el amor o la pasión, ya no interesa. Igual ambos pueden ser excelentes padre o madre para su hijo: las cualidades requeridas son totalmente diferentes y el compromiso afectivo también es de una naturaleza absolutamente distinta.

¿Alguien duda de que las cualidades, en tanto que *partenaire* sexual y romántico, son diferentes a las maternales y paternales? Pensemos en nuestros padres y en otras parejas que vemos a nuestro alrededor.

Pero, además, para cambiar la relación *debemos cambiar primero nosotros mismos*. Asumir que estamos ahí para cumplir con nuestra paternidad y dar lo mejor posible cada uno.

Probablemente, cuando una de las partes de la pareja tiene un encono exacerbado hacia la otra (del tipo que obstruye vínculos filiales, que vive generando incidentes, que recurre semanalmente a los tribunales con falsas denuncias), es porque está muy herida por algo que la otra parte le ha hecho, o tal vez por serias carencias que es más fácil volcar en otros que reconocerlas en sí mismo. También es posible que haya gente desequilibrada, que hace una montaña de un granito de arena.

Cuando nos encontramos con este mar de odio frente a nosotros, debemos ser capaces de revisar qué hicimos para generar tales sentimientos. Si no somos capaces de ver la génesis de ese comportamiento y reparar el daño producido, no habrá abogados, mediadores, jueces o leyes que logren terminar o minimizar los perjuicios que sufriremos "todos" en esta guerra sin cuartel.

Si el pasado no nos condena y vamos con buena voluntad, con buena disposición, respeto, honestidad, generosidad, paciencia y comprensión, no será imposible conseguir buenos resultados. Es verdad que, muchas veces, podemos ir con la mejor de nuestras intenciones y recibir como respuesta actitudes deshonestas y malsanas; sin embargo, esta es una situación muy particular, en la que hay un hijo en común y que los dos quieren lo mejor para él.

Si sabemos que algunos comportamientos nuestros sacan de quicio al otro, no los hagamos más (o al menos no delante de él). Si ya sabemos que llegar tarde lo pone mal o que no soporta vernos con otra persona, tengámoslo en cuenta, actuemos con inteligencia. Si no le gustan las improvisaciones o las sorpresas, atengámonos a lo planificado. Si, por el contrario, él o ella no es muy puntual, tomemos las medidas pertinentes para que eso no nos afecte: citándolo antes o yendo nosotros a buscar a los niños. En fin, debemos ver en qué aspectos hay posibilidades de que nuestro comportamiento altere al otro y tomar las medidas precautorias.

EL *PAPÁ SUTRA* Y LAS ESTRATEGIAS DE CONQUISTA

Los hombres somos capaces de hacer cualquier cosa con tal de conseguir *los favores* de una mujer, pero nos ponemos inflexibles y principistas con nuestras ex mujeres. No nos importa hacer mil y una cosas por la mujer que nos atrae: gastamos dinero, la llevamos a lugares que sabemos le van a gustar, nos arreglamos y tratamos de caerle bien, la escuchamos, somos atentos, pacientes y comprensivos; todo por un ratito de sexo. Sin embargo, cuando nos divorciamos, no solemos ser capaces de mover un dedo por ganar su voluntad como *madre* de nuestro hijo. Lo mismo le ocurre a las mujeres: hicieron todo para conquistar al *hombre*, pero se resisten a mover un dedo para conquistar al *padre* de su hijo.

Todo lo que antes era minimizado ahora son barreras infranqueables. Lo que no nos importó como *partenaire* sexual ahora es imposible de soslayar como progenitor. Hay un dicho popular que dice: *Lo que nos atrae nos separa*. Nos conquistó por su seductora coquetería y luego nos separamos porque coquetea con todos. Nos agradó porque era muy buen mozo y nos separamos porque todas lo persiguen. Pero debemos tener en cuenta lo que ya mencionamos: las características del *partenaire* sexual o matrimonial no son las mismas que se requieren para paternar o maternar.

Cuando nuestra libido no está en juego, hacemos primar el ego herido y somos principistas, dignos e inflexibles.

Así como nos dimos una estrategia para conquistar al otro como hombre o como mujer, *debemos darnos una estrategia para conquistarlo como partenaire en la pareja de Padres*. Si hacemos todo mal, seguro que no lo conseguiremos. Si cuando viene le gritamos, le echamos en cara todo lo que se nos ocurre, lo culpamos de todos nuestros males, no pretendamos que nos reciba bien.

Si quieres atraer abejas no hay que poner vinagre sino miel, decía la abuela Teresa. Y cuánta razón tenía.

En los primeros siglos de nuestra era, Vatsyayana escribió el *Kama Sutra* (*Kama* = amor, placer, sexo; *Sutra* = aforismos, tratado), en donde daba una serie de principios y proposiciones por tener en cuenta en la vida sexual y para conquistar al ser amado. Lo de las distintas posiciones amatorias es la parte que más trascendió de esta obra, aunque no fuera lo más importante para el autor, salvo en su significado de creatividad y variación. Vatsyayana lo consideraba un tratado integral acerca de las relaciones entre el hombre y la mujer en los temas del amor. Ahora, a la cantidad creciente de hijos sin padre pareciera necesario escribir el *Papá Sutra* (sobre cómo conquistar al otro progenitor), con aforismos sobre el ejercicio de la Paternidad en conjunto, aunque ya no vivan bajo el mismo techo.

Hace un tiempo un padre nos contaba que no conseguía que su mujer le dejara ver a sus hijos. Las peleas eran interminables (imposible saber quién empezó), él se quedó sin ver a sus hijos y los niños se quedaron sin padre y con una madre que siempre les gritaba. Le preguntamos si lo que había hecho hasta ahora le había dado resultado:

–*No, pero mis hijos saben que yo peleo por ellos*.

–Eso sin duda es importante, pero son pequeños y van a estar sin verse. ¿Hasta cuándo? Si la estrategia que hasta ahora has usado no sirve, ¿no convendría usar otra? Esto es lo que haríamos en cualquier situación: si algo no funciona, hay que probar con otra cosa, con otro método, con otras herramientas...

En las relaciones humanas a veces nos ponemos irracionalmente tercos y seguimos intentando sacar un tornillo con un martillo, en vez de usar un destornillador.

Preguntémonos: ¿Qué es lo que a la otra persona la puso y la pone tan mal (contra nosotros)? Seguramente es algo del pasado. O algo que uno continúa haciendo.

Algo del pasado: tal vez la forma en que ocurrió la separación o si las causas de dicha separación fueron en exceso difíciles, muy sorpresivas o muy humillantes para el otro y aún no se recupera de esa situación.

Si esto es lo que ocurre, habrá que pedir disculpas. Si con nuestras acciones herimos al otro, lastimamos sus sentimientos, destrozamos sus expectativas, destruimos sus sueños y esperanzas, lo menos que podemos hacer es pedir disculpas. Porque no todo lo que hicieron fue malo: están los hijos que es lo mejor que ambos tienen y lo que más quieren. Luego habrá que plantear que es necesario iniciar una nueva etapa, establecer una nueva relación como Padres...

Tal vez, el obstáculo sea del presente, puede relacionarse con el trato que le damos ahora a la otra persona: que no le pasemos dinero, que se lo escatimamos, que gastamos demasiado, que no buscamos a los hijos cuando lo hemos acordado; que somos autoritarios, que somos entrometidos; o que presumimos por lo bien que nos va ahora, o por nuestros nuevos amores...

Por ello, tenemos que preguntar directamente: ¿Qué es lo que te molesta? Y nosotros también hemos de plantearle lo que nos molesta de él o ella. Tal vez sólo sea un cúmulo de malos entendidos, de cosas que creyeron que el otro había dicho o hecho. Muchas veces se entrometen terceros que –con buenas o malas intenciones– hacen mucho daño. Hay que *desmalezar* la relación, tranquilizar los espíritus y reencontrarse en esta nueva etapa.

HACER UN NUEVO CONTRATO: VINO NUEVO EN ODRES VIEJOS

No se trata de encarar esta nueva situación (criar juntos a los hijos estando separados), haciendo las mismas cosas que antes y con el mismo tipo de vinculación (deteriorada) con que veníamos.

Estamos ante una *nueva pareja*, con objetivos y contenidos diferentes. Este es un nuevo contrato. No se deben fidelidad pero sí lealtad; no se deben amor, pero sí respeto.

No hay que meterse en la vida de la otra persona, considerémosla *campo minado*. Tras la separación de la pareja, cada uno recupera su intimidad.

Si en la relación de pareja amorosa predominaba la pasión, el amor y la entrega; si en la pelea dominó el rencor, el sarcasmo y la revancha, en esta nueva relación debe primar la paciencia, la comprensión y la solidaridad.

Digamos que, si antes eran novios, ahora son *compinches*, cómplices en la crianza feliz de sus hijos. Todo esto quizá parezca ingenuo, pero en realidad se trata del objetivo que queremos lograr; no todos podrán, pero cuanto más se acerquen, mejor vivirán y podremos tener sociedades más sanas.

Susurros de paz

Buena voluntad, actitud solidaria y centrarse en lo mejor para los hijos serán las consignas permanentes y los "susurros de paz" (Quiroz, 2007).

Cuando los ejércitos se preparan para el combate tienen *gritos de guerra* que los envalentonan, les levantan la moral y los hacen ir hacia delante a enfrentar lo que sea. De igual modo, aquí debemos tener nuestros *susurros de paz*, que nos harán deponer las armas: dejar de gritar, tranquilizarnos, armarnos de paciencia, ser capaces de guardar las garras y de encontrar la solución por vías pacíficas.

Cada pareja de Padres debería encontrar sus propios *susurros de paz* y utilizarlos para volver a la cordura cuando las cosas se salen de cauce.

La esencia de un contrato es que uno renuncia a ciertas libertades o situaciones para obtener beneficios que considera de mayor valor. En un contrato de alquiler renunciamos a un bien para obtener un dinero y a la vez el otro renuncia a ese dinero para obtener el uso de dicho bien.

En el matrimonio ambos se comprometen a ser fieles, solidarios, etc., renuncian a su libertad individual para conformar una pareja y una familia.

En el contrato social, todos dejamos un poco nuestras libertades a cambio de una serie de beneficios que el conjunto de la sociedad nos brinda.

Cuando los padres ya no son pareja, porque nunca hicieron un contrato o porque se divorciaron, sería conveniente que realicen un nuevo acuerdo, en el cual establezcan todo aquello que les permita a ambos mantener la relación en los mejores términos por el bien de sus hijos y también por su propio bienestar.

En este nuevo acuerdo deben establecerse las reglas del juego que los progenitores se comprometen a respetar. Esto a nivel social y en mediación se llama contrato, el cual puede ser más o menos formal. Puede realizarse en una mesa de café, con una buena conversación o con un abogado e institucionalizarse a través de un acto jurídico homologado por un juez de familia.[2] Lo importante es que se realice y que cada uno se comprometa y sepan qué esperar del otro y qué se espera de ellos. Esto permitirá que se sientan tranquilos, en la medida en que están definidas sus obligaciones y salvaguardados sus derechos. El nivel de detalle del acuerdo puede ser mayor o menor según las circunstancias y las partes. Tampoco tiene por qué ser definitivo en los detalles, ya que el crecimiento de los hijos o las circunstancias pueden cambiar y requerir ajustes o modificaciones en los acuerdos iniciales; lo importante y que no debe modificarse, es la voluntad de poner lo mejor de cada parte.

---

[2] Nosotros recomendamos y preferimos la *mesa de café*, es más agradable, cuesta menos y no hay heridos en el camino.

Los derechos y obligaciones serían del mismo tipo que los del matrimonio pero diferentes en cuanto a los contenidos y con un fin concreto: el interés superior de los hijos.

Como ya hemos dicho, en la relación de Padres no se requiere fidelidad de tipo amoroso pero sí lealtad, respeto y discreción. Esto le dará durabilidad al nuevo contrato.

Respetar los tiempos y espacios de cada uno

Un elemento fundamental de este respeto por el otro es el respeto de los tiempos y espacios. Como ya dijimos, tras la separación, cada uno recupera su intimidad. En relación con los tiempos, suele ser ésta una de las fuentes de conflicto. No podemos hacer a nuestro antojo y que el otro deba resignarse a nuestros caprichos sin poder disponer de su tiempo. Respetemos los días y horarios, lo cual no quiere decir que no pueda haber cierta flexibilidad, en especial en atención al niño y sus actividades, u ocasionalmente por situaciones que se les presenten a los Padres. Pero esta flexibilidad debe ser excepcional, para no transformarse en un desorden que vuelva locos a todos los participantes.

Si frente a las tardanzas de uno, el otro se lo devuelve con mayores incumplimientos, si cuando uno levanta la voz el otro la levanta más, en poco tiempo la pareja de Padres entrará en una espiral de agresiones y malos tratos insostenibles. Hay que establecer mecanismos que permitan sentarse nuevamente a conversar y poner las cosas en orden antes de que todo estalle (los susurros de paz de los que se habló antes).

De igual modo sucede en relación con los espacios (y en esto hay que ser muy cuidadosos). El tema del territorio no es algo menor en el reino animal, del cual formamos parte. No sólo su cuerpo ya no nos pertenece, sino tampoco todo su entorno.

Otro detalle de cuidado es el tema de la intimidad, en estrecha relación con el anterior, pero que va mucho más allá. De hecho, entre los Padres ha habido intimidad, que pudo ser de una noche o de 20 años, y más allá de que ese tipo de intimidad no exista más, la existencia de uno o varios hijos genera una situación particular. Pero la intimidad no es de carácter transitivo, yo tengo intimidad con mi hijo, mi hijo con su madre, pero yo no debo tener (más) intimidad con su madre. *La intimidad, en este sentido, es algo propio en los cónyuges pero impropio en las parejas de Padres.* Digamos que debemos también establecer aquí una nueva intimidad, de tipo familiar, que podríamos definir como de *cierta confianza*, pero preservando absolutamente los espacios individuales.

Este respeto por el otro, por sus tiempos, sus espacios y su intimidad dará fortaleza a la vigencia del contrato y facilitará enormemente la relación.

Mediadores especializados en contratos de Padres

Sería bueno que los mediadores familiares se especialicen en crianza compartida y que puedan ayudar a establecer estos nuevos contratos, que permitan estructurar una nueva relación para asumirse como Padres y dejar atrás su historia de desavenencias afectivas.

No siempre uno puede hacer estas cosas sin ayuda exterior, ya sea porque estamos muy implicados para razonar objetivamente o porque carecemos de habilidades de comunicación o relacionales como para encarar una situación de ese tipo. En estos casos lo mejor es recurrir a gente que se ha especializado en dicha tarea.

Al establecer las reglas del juego debemos tener claro que deben ser *justas y equitativas para ambos*. No pueden plantearse desde nuestra sola conveniencia y comodidad. Está bien expresar los propios deseos y necesidades, pero hay que entender que deberán encontrar un justo término y que no vayan en menoscabo de alguna de las partes, pues de lo contrario no funcionará.

Como ya hemos señalado, si no son capaces de establecer el acuerdo entre los Padres de forma autónoma, sería conveniente buscar ayuda, para que un tercero capacitado sirva de mediador y facilitador.

Comprometerse a cumplir

Este contrato realmente tiene valor en la medida en que esté internalizado y comprendido por sus partes y ambos se comprometan íntimamente a su cumplimiento. Esto, más allá de que esté formalizado o no, escrito o simplemente conversado y discutido. Los seres humanos hemos sido capaces de establecer los mejores contratos con la simplicidad formal de darnos la mano. Sin duda, en la sociedad moderna la palabra y el honor personal están ligeramente devaluados o matizados y cualquier abogado le dirá: *Si no hay nada firmado, no vale, no sirve*. Pero también sabemos que, por más firmas y homologaciones administrativas que haya —en estos temas— nada pesa más que el compromiso y convencimiento real de la persona.

Establezcamos con claridad nuestro compromiso de poner lo mejor de nosotros mismos para que esta pareja de Padres funcione lo mejor posible. Comprometámonos a poner toda nuestra buena voluntad para superar los momentos difíciles y estemos realmente dispuestos a ser solidarios.

Solidaridad inteligente

Ya no somos socios como en el matrimonio, pero siempre tengamos presente que si el otro progenitor la pasa mal nuestro hijo no la pasará bien. Claro que esto se presta a situaciones que a veces son molestas o incluso enfermizas: personas que no se hacen cargo de ellas mismas o que no se responsabilizan de sus actos, porque saben que el otro vendrá a solucionarle los problemas o entuertos en que se mete. Cuando la persona en cuestión tiene esas características, hay que tomar las precauciones necesarias y no entrar en el juego.

Al igual que en el matrimonio o en otras relaciones, uno concurre a ellas con todas sus grandezas y flaquezas: tomémoslas en cuenta y sirvámonos de los servicios de complementariedad que ofrece ser dos en la pareja de Padres, para compensar estas situaciones y que no perjudiquen al hijo.

Así pues, lo principal del acuerdo no son los horarios o los honorarios, sino que es éste un compromiso de amor (de amor al hijo) en donde demos lo mejor de nosotros mismos y mejoremos todo aquello que sea necesario; donde, en fin, moderemos o neutralicemos lo que sea inconveniente.

Después de esto es posible cristalizar en los detalles necesarios: días y horarios, dinero, responsabilidades de cada uno, etcétera.

Este compromiso moral debe demostrarse en los hechos concretos y cotidianos. Nuestros hijos merecen nuestros mejores esfuerzos.

Bibliografía

Aguilar, J. M., *S.A.P. Síndrome de Alienación Parental: hijos manipulados por un cónyuge para odiar al otro*, Almuzara Editorial, Madrid, 2006

Arés, P., *Mi familia es así, investigación psicosocial*, Ciencias Sociales, La Habana, 1995.

———, *Hogar, dulce hogar. Mito o realidad*, Ciencias Sociales, La Habana, 1996.

Badinter, E., *L'amour en plus. Histoire de l'amour maternal*, Flammarión, París, 1980.

Calviño, M. (comp.), *Hacer y pensar la psicología*, Caminos, La Habana, 2008, pp. 417-443.

Calviño, M. y Ch. Asebey, *Bienestar familiar, entre la transversalidad y la diáspora mediática*, El mamut y otras historias, Ciencias Sociales, La Habana, 2005.

Cantón, J. y D. Justicia, *Conflictos matrimoniales, divorcio y desarrollo de los hijos*, Pirámide, Madrid, 2000.

Código Civil de Chile, Jurídica, Santiago, 2005.

Código Civil de la República Argentina, Rubinzal Culzoni Editores, Buenos Aires, 2007.

Dahan, J. y A. Lamy, *Un seul parent a la maison*, Albin Michel, París, 2005.

Didier, D., *Sans père et sans parole*, Hachette, Francia, 1999.

Fay, R., *The disenfranchised father. Advances in Pediatrics*, T. 36, Nueva York, 1989, pp. 407-429.

Ferrari, J., *Ser padres en el tercer milenio*, Del Canto Rodado, Mendoza, 1999.

Ferrari, O., *Qué es la filosofía*, Editorial de la Universidad Nacional de Cuyo (EDIUNC), Argentina, 2009.

Freud, S., *Tres ensayos para una teoría sexual*, Biblioteca Nueva, Madrid, 1905.

Gardner, R., "Differentiating between the parental alienation syndrome and bona fide abuse/neglect", en <http://rgardner.com/refs/ar1.html>, *The American Journal of Family Therapy*, 1999, **27(2)**: 97-107.

Gilberti, E., G. Chavanneu y R. Oppenheim, *El divorcio y la familia; los abogados, los padres y los hijos*, Sudamericana, Buenos Aires, 1985.

Hetherington, E. M. y M. M. Stanley-Haga, "Parenting in divorced and remarried families", en M. H. Bornstein (comps.), *Handbook of Parenting*, Lawrence Erlbaum, Estados Unidos, 1995, pp. 233-254.

Hite, S., *El informe Hite*, Sedmay, Estados Unidos, 1976.

INE, *Censo de Población y Vivienda*, Santiago de Chile, 2002.

Montagner, H., *L'attachement, les debuts de la tendresse*, Odile Jacobs, Francia, 1988.

Montecino, S., *Madres y huachos: alegoría del mestizaje chileno*, Convención sobre los Derechos de los Niños, UNICEF, 1989.

Olavarría, J., *Y todos querían ser (buenos) padres*, LOM Ediciones, FLACSO, Santiago de Chile, 2001, pp. 47-89.

Olavarría, J. y A. Márquez, *Varones, entre lo público y lo privado*, LOM Ediciones, FLACSO, Santiago de Chile, 2004, pp. 119-128.

Poussin G. y A. Lamy, *Réussir la garde alternée-Porfiter des atouts, éviter les pièges*, Albin Michel, Francia, 2004.

Quiroz, A., *¿Es pareja tu pareja?* Línea Continua, México, 2007.

Vatsyayana, *Le Kama Sutra*, France Loisirs, París, 1979.

Yablonsky, L., *Padre e hijo: la más desafiante de las relaciones familiares*, El Manual Moderno, México, 1993.

Zicavo, N., *Para qué sirve ser padre: un libro sobre el divorcio y la padrectomía*, Ediciones UBB, Chile, 2006.